KB091979

논·술·세·계·대·표·문·학

21

성경 이야기

이주혜 엮음

구약·신약

H 훈민출판사

예루살렘의 전경

The Best World Literature

아기 예수의 탄생을 축하하고 있는 세 명의 동방 박사

십자가에 못박힌 예수 그리스도

바벨탑을 그림으로 표현한 것

사람들 앞에 모습을 바꾸어 나타난 예수 그리스도

예루살렘 시내의 모습

에덴 동산에서의 아담과 이브

예루살렘 신전의 모습

The Best World Literature

천지창조 – 바티칸 시스티나 성당의 벽화

이집트에 있는 모세와 야곱

구인환(丘仁煥)

서울대학교 사범대학 졸업. 동 대학원 졸업(문학박사)
서울대학교 명예교수, 소설가(현). 서울대학교 사범대학 국어교육연구소 소장(현)
문학과문학교육연구소 소장(현). 국제펜 한국본부 부회장(현)
한국소설문학상(1987). 예술문화대상(1994). 한국문학상(2000)
작품 〈숨쉬는 영정〉, 〈살아 있는 날들〉, 〈일어서는 산〉 외 다수

- **저서** 《한국단편소설의 이해》, 《한국현대소설의 비평적 성찰》,
  《고교생이 알아야 할 소설》, 《고교생이 알아야 할 세계단편소설》 외 다수

윤병로(尹柄魯)

성균관대학교 국어국문학과 졸업. 동 대학원 졸업(문학박사)
성균관대학교 교수, 문학평론가(현). 한국현대소설학회장(현)
한국문예학술저작권협회 이사(현). 한국간행물윤리위원회 위원(현)
한국펜 문학상(1987). 한국문학상(1988). 대한민국문학상(1989)
수필집 《나의 작은 애인들》 외 다수

- **저서** 《현대 작가론》, 《한국 현대 소설의 탐구》,
  《한국 근대 작가 작품 연구》, 《한국 현대 작가의 문제작 평설》 외 다수

홍성암(洪性岩)

고려대학교 국어국문학과 졸업. 한양대학교 대학원 국어국문학과 졸업(문학박사)
동덕여자대학교 교수, 소설가(현). 한국문인협회 회원(현)
한국소설가협회 이사(현). 국제펜 한국본부 소설분과 이사(현). 한민족 문화학회 회장(현)
창작집 《큰 물로 가는 큰 고기》, 《어떤 귀향》 외
대하역사소설 《남한산성》(전9권) 외 다수

- **저서** 《문학의 이해》, 《현대 작가론》, 《한국 근대 역사소설 연구》 외 다수

기
획
·
감
수

영화 〈십계〉의 한 장면 - 찰턴 헤스톤이
모세 역을 맡았다.

논술 *세계대표문학*을 펴내며

　　21세기의 사회는 **'전자 문명 시대'**라 일컬어질 만큼 오늘날 전자 산업은 우리 생활의 거의 모든 분야에 다양하게 응용되고 있습니다. 출판 분야 또한 예외는 아니어서, 종래의 서책(Book) 대신에 이른바 '전자책(CD-ROM)'의 출간이 최근 들어 날로 증가하고 있습니다.

　　그러나 이러한 전자책은 영상 또는 모니터상으로 흥미 위주나 백과사전식 지식을 습득하는 데는 효과적일지 모르지만, 문학 공부를 위해서는 별로 도움이 되지 않습니다. 바꾸어 말하면, 문학 공부는 각 지면마다 살아 숨쉬는 표현 하나하나를 독자 자신의 머리로 음미하면서 작품을 읽어 나가는 가운데, 풍부한 상상력의 배양과 함께 작가의 의도와 그 작품의 내면을 깊이 있게 이해함으로써 이루어지는 것입니다.

　　이에 훈민출판사에서는, 자라나는 학생들이 범람하는 영상 매체에 길들여지기 전에, 어려서부터 유명한 세계문학 작품들을 책자를 통하여 감명 깊게 읽고 감상함으로써, 올바른 문학 공부의 기틀을 다지고, 아울러 전인 교육도 할 수 있도록 《논술 세계대표문학(전60권)》을 펴내게 되었습니다.

　　작품 선정은, 초·중·고등학교 국어 교과서와 역사 교과서에 실리거나 소개된 문학 작품을 중심으로 하되, 그리스 신화와 성경 이야기 등의 고전에서부터 중세·근대·현대에 이르기까지 세르반테스·셰익스피어·톨스토이 등 세계 유명 작가들의 장·단편 소설들을 엄선·수록하였습니다. 또 세계의 명시도 별권으로 엮었으며, 특히 각 단락마다 **'논술 문제'**를 제시하여, 장차 대학입시를 비롯한 각종 '논술 고사'에 예비 지식을 쌓을 수 있도록 배려하였습니다. 아무쪼록, 이 《논술 세계대표문학(전60권)》이 자라나는 학생들에게 문학 공부의 주춧돌이 되고, 나아가 미래를 살아가는 데 **정신적 자양분**이 되기를 진심으로 바라 마지않습니다.

훈민출판사

차례

성경 이야기

구 약

천지창조

아주 옛날 세상이 있기 전의 모습은 어땠을까?

바람도 불지 않고 햇볕도 없고 소리도 없었던 세상. 오직 적막만이 가득했던 곳이었을까?

산과 강, 바다와 섬, 하늘을 나는 새와 물 속을 헤엄치는 물고기……. 그리고 향기로운 꽃들은 어떻게 생긴 것일까? 성경은 이 모든 것들을 하나님이 만들었다고 기록하고 있다.

태초에 하나님이 천지를 창조하시니라(창세기 1장 1절).

땅이 혼돈스럽고 공허했으며 흑암이 깊었을 때 하나님이 수면 위에 운행하시며 말씀으로 이 세상을 만드셨다. 재료도 원료도 도구도 없이 오직 말씀으로만 만드셨다. 아무것도 없는 무에서 유를 만드신 것이다.

첫째 날, 하나님은 말씀하셨다.

"빛이 있으라."

그랬더니 흑암의 세상에 광명이 비치고 어두웠던 곳들이 밝아지기 시작했다. 하나님은 빛을 낮이라 이름 붙이시고, 어둠을 밤이라고 이름 붙이셨다.

하나님이 보시기에 빛은 아름다웠다. 하나님은 만족하셨다. 하나님이 보시기에 좋았다.

둘째 날, 하나님은 말씀하셨다.

"물이 궁창 아래와 위로 나누어져라."

물이 나누어져서 위에 있는 물을 하늘이라고 이름 붙이셨다.

하늘 위로 구름이 흘렀다. 파란 하늘에 떠도는 흰구름은 하나님 보시기에 좋았다.

"음. 참 아름답구나."

하나님은 또 무엇을 만들까 고민하셨다.

'어떤 것을 만들면 좋을까? 만들 것이야 많지만 무엇부터 만드는 게 좋을까? 그렇지! 이번에도 물을 이용해서 만들어야겠다.'

하나님은 말씀하셨다.

"물들아, 천하의 모든 물이 한곳으로 모이라."

그러자 놀라운 일이 벌어졌다. 뭍이 드러난 것이다. 하나님은 물이 모인 곳을 바다라 이름 붙이고 뭍을 땅이라 불렀다. 하나님이 보시기에 좋았다.

셋째 날, 하나님은 이렇게 말씀하셨다.

"땅에는 꽃이 피고 열매를 맺는 풀과 나무로 가득하여라."

땅은 풀과 씨 맺는 채소와 열매 맺는 나무로 풍성해졌다. 땅은 이제 황토빛이 아니었다. 땅은 꽃들로 알록달록해지고 풀과 나무로 푸르러졌다. 하나님은 미소를 지으셨다. 하나님이 보시기에 좋았다.

넷째 날, 하나님은 하늘을 올려다보셨다.

'땅은 풀과 나무, 꽃들로 참 곱고 아름다운데 하늘은 아직 밋밋하군.'

한참 고민하던 하나님은 이렇게 말씀하셨다.

"하늘에는 두 빛이 있어 밤과 낮을 구분하라. 낮은 해가 다스리고 밤은 별과 달이 다스려라."

드디어 파란빛이었던 하늘은 낮에는 해가 쨍쨍하게 떠서 지면을 비추었고, 밤이 되면 별과 달이 깜깜한 밤하늘에 보석같이 박혀서 아름답게 빛났다. 하나님이 보시기에 좋았다.

다섯째 날이 되었다. 하나님은 처음으로 이 땅에 움직이는 것들을 만드셨다.

"물들은 생물로 번성케 하라. 하늘의 궁창에는 새가 날으라."

이렇게 해서 바닷속에서 헤엄치는 물고기와 하늘을 나는 새를 만드셨다. 하나님은 다섯째 날이 가장 바쁘셨다. 만들어야 할 생물들이 무척 많이 생각났기 때문이다. 물고기와 새들을 보고 하나님은 이렇게 말씀하셨다.

"새들아, 물고기들아, 새끼를 낳아 번성하여라."

이제 땅에는 살아 움직이는 것들로 생동감이 넘쳐났다. 하나님이 보시기에 좋았다.

여섯째 날이 되었다. 하나님이 말씀하셨다.

"땅아, 너는 그 종류대로 동물들을 내어라."

하나님은 이렇게 간단히 말씀하셨는데 무척 많은 동물들이 생겼다. 깡충깡충 뛰는 토끼, 뒤뚱뒤뚱 걷는 오리, 날쌔게 달리는 호랑이와 사자 등 이루 헤아릴 수 없는 동물들이 생겼다. 아주 작은 벌레부터 산만큼 큰 공룡까지. 하나님의 솜씨는 놀라웠다.

한 번에 이렇게 많고도 다양한 동물을 만드신 하나님은 이번에는 좀 특별하게 무언가를 만드시기로 했다. 이번에는 말씀으로 만드시는 게 아니었다. 약간의 흙을 가지고 무언가를 빚으시더니 그 코에 생기를 '후' 하고 불어넣으셨다. 조금 전까지 움직이지 않던 흙덩어리는 생기를 불어넣자 움직이기 시작했다. 하나님은 이렇게 만드신 것을 사람이라고 불렀고 그 사람의 이름을 아담이라고 붙이셨다.

하나님은 사람을 만들고 기분이 너무 좋았다. 지금까지 만든 그 무엇보다도 아름다웠다. 왜냐하면 하나님의 형상을 따라 사람을 만들었기 때문이다.

이렇게 해서 여섯째 날까지 이 세상의 모든 것들을 만드셨다. 그리고 그 다음 날은 쉬셨다.

"아, 피곤하군. 오늘은 푹 쉬어야겠다."

하나님께서 아무것도 하지 않고 쉬었던 날을 사람들은 안식일이라고 불렀다. 사람들도 하나님처럼 6일 동안 열심히 일을 하고, 일곱째 되는 날은 안식하며 자기를 만드신 하나님을 경배했다.

아담의 친구 이브

아담은 하나님이 만드신 동산을 혼자 거닐기를 좋아했다. 그곳의 이름은 에덴 동산이었다. 에덴 동산은 그 어느 곳보다 아름다운 곳이었다. 하나님은 아담을 너무 사랑하셔서 에덴 동산에 아담을 두신 것이다. 푸른 숲에서 아담은 아름다운 꽃과 나비, 귀여운 동물들, 그리고 제법 의젓하고 용맹스런 동물들과 함께 놀았다. 아담의 어깨에서 쉬었다 가는 작은 새들이 지지배배 노래했다.

하나님은 아담에게 하나님이 만드신 모든 것들에 이름을 붙이라고 말씀하셨다. 아담은 매일매일 동식물의 특징에 맞는 이름들을 지었다. 이름을 짓고 나서 아담은 동물들의 이름을 부르며 함께 어울렸다.

"사자야, 너 참 멋진 갈기를 가졌구나."

"공작, 넌 근사하고 화려한 깃털을 가졌구나."

이렇게 칭찬하는 것도 잊지 않았다. 하지만 시간이 흐를수록 아담은 외로워졌다. 모든 동물들은 가족이 있었지만 아담은 그렇지 않았다. 사이가 좋은 두 마리의 잉꼬를 볼 때, 아담은 '나에게도 저렇게 친구가 있으면 얼마나 좋을까?' 하고 생각했다.

하나님은 아담의 쓸쓸함과 외로움을 아셨다.

어느 날 오후 아담은 따스한 햇볕에 스르르 눈이 감겼다. 동산으로 흐르는 강가에서 물고기들과 노느라고 많이 피곤했던 것일까? 아담은 깊은 잠에 빠졌다. 그 때 하나님은 깊이 잠든 아담에게서 갈비뼈 한 개를 꺼내 살을 붙이고 아름다운 여자를 만드셨다. 그리고 이브라고 이름 지으셨다. 잠에서 깨어난 아담은 자기 옆에 있는 이브를 보고 감탄했다.

"하나님이 나에게도 좋은 배필을 주셨구나. 아, 어찌 이리 곱고 아름다울 수가 있을까?"

아담은 하나님께 먼저 감사했다. 그리고 이브에게 이렇게 말했다.

"오, 이 사람은 내 뼈 중의 뼈요, 살 중의 살이라."

아담과 이브는 서로 옷을 입지 않고 있었지만 부끄럽지 않았다.

선악과를 먹은 아담과 이브

아담과 이브는 벌거벗고 에덴 동산을 거닐었다. 아담은 이브가 생긴 이후 에덴 동산이 더 아름다워졌다고 생각했다. 혼자 걷는 것보다 함께 걷는 것이 더 행복하고 즐겁다는 것을 알았다. 에덴 동산은 모두 아담과 이브의 것이었다. 어떤 나무의 열매든 거리낌없이 따서 먹을 수 있었다. 그리고 땅에서 나는 어떤 과일도 먹을 수 있었다. 그러나 단 한 가지 먹어서는 안 되는 것이 있었다.

에덴 동산에는 생명 나무와 선악을 알게 하는 나무가 있었다. 하나님은 그 중에 선악을 알게 하는 나무의 열매는 따먹지 말라고 말씀하셨다. 그리고 이렇게 말씀하셨다.

"너희가 그것을 먹는 날에는 정령 죽으리라."

그 말을 들은 아담과 이브는 절대로 따먹지 않겠다고 약속했다.

"예, 하나님. 선악과는 절대 따먹지 않겠습니다. 하나님의 말씀을 지키겠습니다."

하나님이 만드신 것 중에 뱀이 가장 간교했다. 어느 날 이브가 혼자 풀밭에 앉아 꽃잎을 따서 화관을 만들고 있는데, 옆에서 부스럭거리는 소리가 났다. 이브는 좌우를 둘러보았지만 아무도 없었다. 그런데 다시 부스럭거리는 소리가 났다. 잘 살펴보니 올리브 나무 밑에서 뱀이 이브를 쳐다보고 있었다. 이브가 무슨 일이냐는 표정을 짓자 뱀은 이브 옆으로 와서는 이렇게 말했다.

"이브, 하나님이 정말로 아담과 너에게 선악을 알게 하는 나무를 먹지 말라고 하셨니?"

"응."

"하나님처럼 사랑이 많으신 분이 어떻게 그런 말을 하실 수 있을까? 정말 먹지 말라고 하셨니? 믿을 수가 없어."

"응. 하나님께서 동산의 모든 열매는 먹을 수 있지만 선악을 알게 하는 나무 열매는 먹지 말라고 하셨어. 먹는 날에는 우리가 죽는다고 말씀하셨어. 먹지도 말고 만지지도 말라고 하셨지."

"아니야, 아니야. 그렇지 않아. 그 열매를 먹는다고 설마 죽겠어? 내 생각으로는 그 열매를 먹으면 너희의 눈이 하나님처럼 밝아질 거야. 그 열매를 너희들이 먹고 하나님처럼 선악을 알게 될까 봐 먹지 못하게 한 걸 거야."

이브는 뱀이 한 말을 찬찬히 생각해 보니 맞는 말 같기도 했다. 그래서 동산 중앙에 가서 선악과를 보았다. 그 열매를 보니 먹음직스러웠고 보기에도 좋았고 지혜롭게 할 만큼 탐스러웠다. 이브는 하나님의 경고를 잊어버리고 그만 그 열매를 먹어 버렸다. 그리고 남편인 아담에게도 권했다.

"아담. 내가 선악과를 먹었는데, 당신도 같이 먹어요."

아담은 안 된다고 생각했지만 아내가 너무 사랑스럽게 말하는 바람에 하나님과 한 약속을 망각하고 그만 선악과를 먹어 버렸다.

아담과 이브는 선악과를 함께 먹고 나자 그들의 눈이 밝아지면서 서로가 벌거벗은 몸을 부끄럽게 여기게 되었다. 그래서 커다란 잎사귀를 따서 부끄러운 부분을 감췄다. 그리고는 왠지 두려운 마음이 들어 하나님을 피해 동산 이곳 저곳으로 숨어 다녔다.

"아담아, 이브야, 너희가 어디에 있느냐?"

아담과 이브가 하나님을 피할 수는 없었다. 두 사람은 벌벌 떠는 목소리로 하나님께 말했다.

"하나님, 저희의 벗은 몸이 부끄러워 숨었습니다."

"너희가 옷을 벗었다고 누가 핀잔을 주더냐? 아담아, 너는 먹지 말라고 한 선악과를 먹었더냐?"

"하나님이 저를 위해 만들어 주신 여자가 먹으라 해서 먹었습니다."

"이브야, 네가 어찌 내가 먹지 말라고 한 열매를 먹었더냐?"

"먹지 않으려고 했는데 뱀이 자꾸 저를 꼬드겨서 먹었습니다."

하나님은 하나님의 명령을 지키지 않은 것에 무척 화가 났다. 하나님은 뱀에게 이렇게 말씀하셨다.

"뱀아, 네가 아담과 이브로 하여금 죄를 저지르게 했으니 내가 너를 저주하리라. 너는 영원토록 배로 기어다니리라. 그리고 너는 흙을 먹으리라."

뱀은 그 때부터 기어다니게 된 것이다.

아담과 이브는 어떻게 되었을까? 하나님은 이들을 에덴 동산에서 쫓아 내셨다. 그리고 그들에게도 고통을 주셨다.

이브에게는 해산의 고통을 주셨다. 아기를 낳을 때 무척 아프게 하신 것이다. 아담은 땀을 흘리도록 하셨다. 수고하여 얻은 소산물로 가족들을 돌볼 수 있게 한 것이다. 얼굴에 땀이 흘러야 채소를 얻을 수 있고 먹을 양식을 얻을 수 있게 만든 것이다. 그리고 사람은 언젠가는 죽어야 한다고 말씀하셨다.

"너희가 흙에서 나왔으니 흙으로 돌아가리라."

그러나 사람을 사랑하신 하나님은 벌거벗은 아담과 이브에게 가죽옷을 지어 입히셨다. 아담과 이브는 에덴 동산 동쪽으로 가서 토지를 경작하며 살았다.

최초의 살인

아담과 이브는 동침하여 두 자녀를 두었다. 큰아들은 '소유와 획득'이라는 뜻의 이름을 가진 카인이고 둘째 아들은 '호흡과 허무'라는 뜻을 가진 아벨이었다. 형인 카인은 농사를 짓는 농사꾼이었고 동생인 아벨은 양을 치는 목동이었다. 카인은 땅을 일구고 씨앗을 뿌리고 곡식이 잘 자라도록 노력했다. 아벨은 양들이 멀리 도망가지 못하도록 잘 돌보았다. 열심히 일한 카인은 넓은 땅에서 많은 소산물을 거둘 수 있었고 아벨도 많은 새끼양들을 얻을 수 있었다. 아담과 이브는 아들들이 이렇게 장성하여 훌륭한 일꾼들이 된 것이 흐뭇했다.

아담과 이브는 아들들에게 말했다.

"이 모든 것은 하나님의 도우심으로 얻은 것들이란다. 첫 열매는 하나님께 드려야 한다. 그러니 너희들도 각자 최선의 것을 준비해서 하나님께 제물로 바치렴."

카인과 아벨은 각자 제단을 만들어 놓고 그 위에 제물을 올려 놓았다. 카인은 제단 위에 농사를 지어 얻은 소산물을 올렸고, 아벨은 제단 위에 새끼양과 기름을 올렸다. 그리고 제단에 불을 붙이고 타오르기를 기다렸다. 그런데 어쩐 일인지 아벨의 제단은 불이 활활 타올라 하늘 끝까지 연기가 피어 올라갔지만, 카인의 제물은 타지 않았다. 잘 타게 하려고 나뭇잎으로 바람을 일으켜도 보았지만 헛일이었다. 하나님께서 아벨의 제사는 받으시고 카인의 제사는 받지 않으신 것이다. 왜냐하면 아벨은 순종과 믿음으로 제사를 드렸지만 카인은 믿음 없이 형식적인 마음에서 드렸기 때문이다.

카인은 화가 났다. 자기가 정성으로 드리지 않은 것은 생각지 않고 동생 것만 받으시는 하나님을 이해할 수가 없었다. 그리고 동생에게 화가 났다. 분하고 억울해서 안색이 울그락불그락해졌다.

하나님이 카인에게 물으셨다.

"카인아, 네 얼굴색이 왜 변했느냐? 네가 선을 행하면 어찌 얼굴을 들지 못하겠느냐? 선을 행하지 않으면 죄가 가까이 있느니라. 너의 죄를 다스리라."

하나님이 그렇게 카인을 타일렀지만 아벨을 향한 미움은 사그러들지 않았다. 자기가 드린 제물이 받아들여지지 않자 카인에게는 시기와 분노, 미움이 싹튼 것이다. 그 후 카인과 아벨이 들에 있을 때 카인은 그만 이성을 잃고 동생을 돌로 쳐죽이고 말았다.

하나님께서 카인에게 물으셨다.

"카인아, 네 아우 아벨이 어디 있느냐?"

카인은 죄책감을 느껴,

"잘못했습니다. 제가 그만 제 화를 다스리지 못해서 동생을 죽이고 말았습니다."

라고 말하지 않았다. 오히려 거만하게 하나님께 대항하며 말했다.

"내가 내 동생 아벨이 어디에 있는지 어떻게 압니까? 내가 아벨을 지키는 사람입니까?"

질투에 눈이 먼 카인은 동생을 죽여 놓고서 시치미를 뗀 것이다. 그러나 하나님이 그것을 모를 리가 없었다.

"네 아우의 핏소리가 땅에서부터 나에게 호소를 하는구나. 이제 땅이 그 입을 벌려 네 손에서 네 아우의 피를 받아 땅으로부터 저주를 받으리라. 네가 밭을 갈아도 땅이 네게 그 소산물을 주지 아니하리라. 너는 어디에도 정착하지 못하고 세상을 떠도는 자가 될 것이다."

그 때서야 카인은 하나님께 이렇게 말했다.

"하나님, 제가 저지른 죄가 얼마나 큰지 이제야 알겠습니다. 내 죄가 너무 커서 차마 하나님의 얼굴을 뵐 수 없습니다. 또 어디를 가든 사람들이 나를 보고 살인자라며 해칠까 두렵습니다."

그런 카인에게 하나님은 이렇게 말씀하셨다.

"그렇지 않다. 내가 네게 증표를 주리니 사람들이 그 표를 보고 너를 죽이지 않으리라. 만일 그 표를 보고서도 너를 죽이면 그 사람은 그 벌을 일곱 배로 받을 것이다."

카인은 여호와 앞을 떠나 에덴 동산 동쪽에 있는 놋(방황이라는 뜻)이라는 땅에 정착하여 그 곳에서 결혼하여 살았다. 한편 두 아들을 한꺼번에 잃은 아담과 이브의 슬픔은 컸다. 하나님은 그들에게 또 다른 아들을 주셨는데 그의 이름은 셋이었다. 셋이 이 세상에 태어나자 세상 사람들은 그 때부터 하나님을 여호와라고 불렀다.

문명의 정착

최초의 문명은 동생을 죽인 카인의 후손에게서 시작되었다. 카인은 놋 땅에 살면서 성을 쌓고 그 곳 이름을 에녹이라고 불렀다. 성을 쌓았다는 것은 도시를 건설했다는 것이다. 카인의 후손 중 야발은 장막을 치고 살면서 가축을 기르는 자의 조상이 되었고, 유발은 수금을 타고 퉁소를 부는 음악하는 자들의 조상이 되었다. 또한 두발가인은 구리나 쇠를 가지고 온갖 기구를 만드는 자가 되었다.

재미있는 것은 이 시대의 사람들이 무척 오래 살았다는 사실이다. 100세 정도가 아니라 300, 400세 정도 살았다. 제일 오래 산 사람은 무드셀라로, 969세를 살았다. 사람들의 수명이 단축된 것은 대홍수 사건 이후의 일이다. 성경 학자들은 대홍수 사건 이후에 인간의 수명이 단축된 것이라고 말한다.

대홍수와 무지개

"뚝딱뚝딱!"
"땅땅땅!"
산 위에서 누군가가 큰 방주를 만들고 있다. 해변가도 아닌 산 위에서 배를 만드는 사람은 누구일까? 바로 노아였다. 사람들은 노아의 이런 행동을 노망한 것으로 보았다.

"저 사람, 나이가 들더니만 머리가 어떻게 된 거 아냐? 바닷가도 아닌 산 위에서 뭐하는 짓이야?"

"아유, 글쎄 저 양반 하는 소리를 들어 보았나요? 글쎄 대홍수가 난데요. 비가 무지 많이 와서 사람들을 모두 쓸어 버린다나요. 글쎄, 비가 얼마나 많이 오면 동네까지 모두 덮을 정도가 된다는 건지 원. 기가 막혀서."

"내 평생 살아오면서 비가 너무 많이 와서 힘든 적은 없었네그려. 그리고 여기가 어딘가? 이 땅에 어디 그렇게 비가 많이 오는 곳인가?"

사람들은 이렇게 모이기만 하면 노아를 비웃었다. 하지만 노아는 분명한 확신을 갖고 방주를 만들었다. 하나님의 음성을 들었기 때문이다.

그 당시 사람들은 죄악이 너무 심했다. 죄악이 세상에 넘쳐서 도무지 선을 찾아볼 수가 없었다. 하나님은 사람을 만드신 것을 후회하셨다. 마음에 근심하시며 결국 이런 결심을 하셨다.

'내가 만든 사람을 이 땅에서 쓸어 버리리라. 이 세상 모든 생물도 그렇게 하리라. 아하! 내가 이것들을 왜 창조했을까?'

그러나 노아는 세상 사람들과 달랐다. 그는 정직했고 선한 사람이었다. 세상이 악하게 변해도 소신껏 선을 지키며 사는 사람이었다. 노아에게는 아들이 세 명 있었다. 그들의 이름은 셈, 함, 야벳이었다.

어느 날 하나님이 노아에게 말씀하셨다.

"노아야, 이 세상 사람들의 마음이 너무 차갑구나. 그래서 내가 이 땅을 멸하기로 했다. 내가 그들을 멸하리라. 그러나 너와 네 가족은 살려 주리니, 내가 하라는 대로 해라. 너는 곧 방주를 만들도록 하라."

하나님께서는 방주 만드는 방법을 세세하게 가르쳐 주셨다. 그 규격을 정해 주셨고, 재료를 무엇으로 할 것인지까지 가르쳐 주셨다.

노아는 길이 90.9m, 너비 15.15m, 높이 9.09m, 상·중·하 3층으로 된 배를 만들었다. 이 방주를 만드는 데 무려 120년이 걸렸다. 노아의 가족은 하나님의 말씀을 믿고 세상 사람들의 조롱에도 아랑곳하지 않고 묵묵히 배를 만들었다.

배를 다 만들고 나서 노아와 그 가족은 방주에 동물들을 태웠다. 하나님께서 정결한 짐승은 암수 일곱씩, 부정한 짐승은 암수 둘씩을 실으라고 하셨다. 그리고 공중의 새도 암수 일곱씩을 실으라고 하셨다. 노아의 가족들은 하나님의 말씀에 충실히 따랐다. 차례차례 동물들이 노아의 방주에 올라탔다. 노아의 가족은 방주에서 동물들이 먹을 양식도 잊지 않았다. 이 일은 일주일이 걸렸다. 노아의 가족 여덟 명이 탔다. 아들 세 명과 며느리 세 명 그리고 노아의 아내.

노아의 가족이 방주에 올라탄 지 얼마 지나지 않아 세상은 깜깜해지고 시커먼 먹구름이 하늘을 뒤덮었다. 그리고 세찬 비바람이 불어왔다. 한 번도 보지 못했던 태풍이었다. 비는 잠시도 그치지 않고 내렸다. 깊은 샘에서 물이 터지고 하늘에서 궁창이 열리더니 비가 쏟아졌다. 이렇게 40일 동안 비가 계속 내렸다. 온 지면은 비로 덮였다. 처음에는 강이 범람하더니 그 강물이 마을을 덮었고 산을 덮었다. 그 물이 산 중턱에까지 올라왔을 때 노아의 방주는 출렁하며 물 위에 떴다. 방주에 난 창문으로 본 세상은 온통 물이었다. 땅도 길도 농토도 보이지 않았고 산도 보이지 않았다.

40일 후 하나님은 강한 구름을 일으켜 비바람을 쫓았다. 그러자 40일 동안 내리던 비가 그쳤다. 검은 구름이 걷힌 푸른 하늘을 그제서야 보았다. 찬란하게 비치는 태양빛이 방주 창문 사이로 가득히 쏟아져 들어왔다. 눈이 부셨다. 노아는 창문을 열고 사방을 둘러보았다.

'이제, 밖으로 나가도 될까?'

하지만 온통 물이었다. 방주에서 내릴 만한 곳은 보이지 않았다. 지면은 150일 동안 물이 차 있었고 물이 빠지는데 또 150일이 걸렸다. 거의 일 년 가까이 지면이 물로 덮여 있었다. 땅 위에 있던 모든 동물이 죽었음은 당연했다.

시간이 어느 정도 흐르자 노아는 까마귀를 날려 보냈다. 어딘가에 육지가 드러날지 모른다고 생각한 것이다. 까마귀가 돌아오지 않으면 방주에서 내려도 될 것이었다. 그러나 얼마 후 까마귀는 다시 방주로 날아 돌아왔다. 쉴 곳이 어디에도 없었던 것이다. 며칠 후 노아는 비둘기를 날려 보냈다. 그러나 비둘기도 잠시 후 그대로 되돌아왔다. 이 주일이 지난 후 다시 노아는 비둘기를 날려 보냈다. 방주를 떠난 비둘기는 한나절이 되어도 돌아오지 않았다. 그러더니 저녁이 다 되어서야 그 입에 감람나무 잎사귀를 물고 돌아왔다.

그것을 보고 노아는 땅이 드러난 것을 알고 적당한 곳을 찾아 방주 뚜껑을 열고 육지로 나왔다. 노아와 함께 그 가족들, 함께 탔던 동물들도 나왔다. 노아는 하나님을 위해 단을 쌓고 정결한 짐승 중에서 가장 정결한 새를 잡아 하나님께 감사의 제물로 바쳤다. 하나님께서는 그 제물의 향기를 흠뻑 맡으시고 노아에게 약속을 하셨다.

"내가 다시는 사람으로 인하여 땅을 저주하지 않겠다. 그리고 다시는 물로 세상을 멸하지 않으리라. 땅이 있는 동안에 변함없이 봄·여름 가을·겨울이 있을 것이고 낮과 밤이 있을 것이며 씨를 뿌리면 거둠이 있을 것이다."

그리고는 약속의 증표로 무지개를 보여 주셨다. 빨·주·노·초·파·남·보 일곱 가지 색의 무지개는 '다시는 물로 세상을 멸하지 않겠는 하나님의 약속이다.

홍수 심판은 구약성경뿐 아니라 다른 민족의 설화에도 등장한다. 시리아, 소아시아, 이란, 이집트, 인도, 호주 등에도 홍수에 대한 전설이 있다. 고대 수메르와 바빌로니아에도 홍수 설화가 있다. 노아의 방주 배경이 되는 메소포타미아 지방에는 홍수에 관한 증거가 많이 발견되고 있다. 우르에서는 약 2미터 두께의 홍수 때에 쌓인 침적토로 생각되는 지층이 발견되었다. 노아의 방주가 머물렀다고 알려진 아라랏 산(지금의 터키 지방)에서는 노아의 방주로 보이는 나뭇조각들이 발견되고 있다.

바벨탑 사건과 언어의 혼잡

노아는 세 아들을 남겨 두고 세상을 떠났다. 그 후 노아의 후손들은 이 땅에 번성했다. 많은 사람들이 있었고 이 후손들로 해서 여러 민족들이 세상으로 퍼져 나갔다.

그 당시 사람들은 하나의 언어를 썼으므로, 아무리 멀리 떨어져 있는 사람이라도 처음 만나서 이야기할 수 있었다. 그런데 세상에 여러 언어가 생기는 사건이 발생했다. 그것이 바로 바벨탑 사건이다.

시날 땅에 모여 산 사람들은 어느 날부터 탑을 쌓기 시작했다.

"높이높이 탑을 쌓아서 흩어지지 말고 같이 살자. 그리고 하나님이 과연 있나 하늘 끝까지 올라가서 확인해 보자."

"하나님께서 물로 또 우리를 심판할지 모르니까 높이높이 탑을 쌓자. 그러면 비가 아무리 많이 와도 문제가 없을 거야."

이들이 탑을 쌓는 목적은 세계에서 가장 큰 규모의 탑을 쌓아 자기들의 이름을 떨치고 홍수 심판을 피하기 위해서였다. 그러나 하나님은 분명히 물로 다시는 심판하지 않겠다고 약속하셨고 그 증표로 무지개를 만드셨다. 그런데 사람들은 하나님의 말씀을 믿지 않았다. 그들은 하나님을 잊기 시작한 것이다. 그들은 돌 대신 벽돌로, 진흙 대신 역청으로 탑을 쌓았다.

하나님은 사람들의 교만한 생각을 미워하셨다. 탑을 쌓는 사람들을 괘씸하게 여긴 하나님은 탑을 건축하는 사람들의 마음과 언어를 혼동시켜 멀리 흩어지게 하셨다. 결국 탑 건축은 중단되었다. 그래서 이 지명을 바벨, 또는 바빌론이라고 불렀다. 그 뜻은 '그가 언어를 혼잡하게 하셨다.'이다.

흩어지지 않고 살려는 사람들의 욕심과 하늘 끝까지 올라가서 하나님과 같이 되려는 욕심은 무산되었다. 결국 말이 통하지 않게 된 사람들은 말이 통하는 사람들끼리 모여서 제각기 흩어져 살게 되었다.

헤로도토스의 《역사》 등 여러 고증을 통해 이 탑의 규모를 보면, 1층의 길이 90m · 너비 90m · 높이 33m, 2층은 길이 78m · 너비 78m · 높이 18m, 3층은 길이 60m · 너비 60m · 높이 6m, 4층은 길이 51m · 너비 51m · 높이 6m, 5층은 길이 42m · 너비 42m · 높이 6m, 6층은 길이 33m · 너비 33m · 높이 6m이고, 7층이 길이 24m · 너비 24m · 높이 15m로 알려져 있다.

아브라함의 순종

아브라함의 가족은 함께 살던 바빌로니아의 우르를 떠나 하란 땅에 정착했다. 하란 땅은 월신 숭배(달을 신으로 섬김)가 만연한 곳이었다. 이곳은 기원전 19~10세기 중요한 무역지였다. 하나님은 아브라함의

나이 일흔다섯 살 때,

"너희 가족과 친척이 살고 있는 땅을 떠나 내가 너에게 지시할 땅으로 가라."

하고 명령하셨다. 하나님께서 명령한 곳은 가나안(지금의 팔레스타인 지역)이었다. 아브라함은 하란이 고대 근동의 도시로 문명화된 사회였으나 우상 숭배가 가득한 그 곳을 떠나 가나안으로 향했다. 나이가 들어 늙었지만 하나님이 제시하시는 신세계를 마음에 품고 용기 있게 고향을 떠났다. 하나님은 이런 아브라함에게 다음과 같은 약속을 주셨다.

"아브라함아, 내가 너로 하여금 큰 민족을 이루게 하고 그 땅의 모든 사람들이 너로 하여금 큰 복을 얻게 할 것이니라."

아브라함은 아내 사라와 함께 고향을 떠났다. 자식은 없었다. 그로부터 여러 해가 지나 아브라함의 나이 100세가 되었다. 아브라함과 아내 사라는 늙었기 때문에 아이를 낳는다는 생각은 꿈에도 하지 않았다. 그런데 어느 날 하나님께서 천사를 보내어 아브라함 부부에게 아기가 생길 것이라고 말했다. 두 사람은 기뻐하며 그 날을 기다렸다. 그러나 하나님은 곧바로 아기를 주시지 않았다. 그래도 두 사람은 하나님의 말씀을 믿고 인내하며 그 때를 기다렸다. 결국 사라는 아기를 임신했고 아들을 낳았다.

귀하게 얻은 아들의 이름을 이삭이라고 하였다. 이삭의 뜻은 '웃음'으로 아기가 태어난 기쁨의 마음을 담은 것이었다. 아브라함과 사라는 아들을 정성으로 키웠다. 늦게 본 아들이기에 누구보다 소중했고 사랑스러웠다. 여전히 아브라함은 언제나 하나님께 순종하는 믿음이 깊은 사람이었다.

하루는 하나님께서 아브라함의 믿음을 시험해 보려고 아브라함을 불러 이렇게 말씀하셨다.

"아브라함아, 너는 사랑하는 외아들 이삭을 데리고 모리아 땅으로 가거라."

"이삭을 왜 모리아 땅에 데리고 가지요, 하나님?"

"모리아 땅에 가서 네가 사랑하는 아들 이삭을 번제로 드려라."

아브라함은 무척 당황스러웠다.

'100세에 주신 아들을 어찌하여 하나님은 달라고 하시는 걸까?'

큰 고민이었다. 거기다 번제로 이삭을 드리라니! 번제는 불에 태워 죽이는 무시무시한 것이었다. 하지만 순종의 신앙을 가진 아브라함은 결국 이삭을 하나님께 드리기로 결심했다.

'하나님은 나를 늘 신실하게 지켜 주셨어. 아들을 바치는 것에 내 가슴은 찢어지지만 하나님의 명령을 거역할 수는 없어.'

아브라함은 큰 결심을 하고 다음 날 아침 일찍 일어났다. 그리고는 나귀에 안장을 얹고 하인 두 명과 아들 이삭을 데리고 번제에 쓸 나무를 쪼개어 하나님이 지시한 곳으로 떠났다.

하루 이틀 사흘이 지났다. 아브라함은 아무 말도 하지 않았다. 그저 하나님의 명령을 따르겠다고 다짐하며 길을 걸었다. 가끔씩 아들 이삭을 쳐다볼 때마다 가슴이 미어졌다.

'하나님, 이삭을 원하는 당신의 뜻은 무엇입니까?'

사막을 사흘 동안 걸어가자 모리아 땅에 닿았다. 아브라함은 하나님께서 일러 주신 산을 향해 올라갔다.

이삭은 궁금했다.

'번제를 드리려면 새끼양이 있어야 하는데……. 아버지는 왜 그냥 올라가시는 걸까?'

"아버지, 번제로 드릴 새끼양은 어디에 있나요?"

아브라함의 가슴은 덜컥 내려앉았다.

"응. 어……. 그건 말이지. 하나님께서 준비해 주실 거야."

아브라함은 얼버무리며 이삭에게 말했다.

"아, 그렇군요."

이삭은 아무렇지 않게 고개를 끄덕였다. 하나님께서 말씀하신 곳에 거의 이르렀을 때 아브라함은 하인 둘을 그 곳에 남겨 두고 이삭과 둘이서 산으로 올라갔다.

번제 단을 쌓을 곳에 이르자, 아브라함은 돌을 쌓았다. 그리고 이삭이 짊어지고 온 나무를 그 위에 올려놓았다. 이제는 번제물로 이삭을 바쳐야 할 시간이 되었다.

'이 일을 어떻게 설명하면 좋을까?'

잠시 고민하던 아브라함이 이삭에게 물었다.

"이삭, 너는 하나님이 선하신 분이란 것을 알고 있지?"

"예, 그럼요. 하나님은 가장 높으신 분이요, 우주와 사람을 만드신 분이시지요."

이삭은 밝고 씩씩하게 대답했다.

"이삭, 하나님께서 우리에게 어떤 명령을 내린다 해도 너는 그 명령을 따를 수 있니?"

"예, 아버지. 하나님이 어떤 무리한 명령을 내린다 해도 저는 그 명령을 지킬 거예요."

"이삭, 사실은 하나님께서 너를 번제로 올리라고 말씀하셨단다."

"……."

"……."

잠시 동안 침묵이 흘렀다. 이삭이 먼저 입을 열었다.

"아버지, 용기 있게 하나님을 위한 번제물이 되겠어요. 저는 하나님을 원망하지 않아요. 잠시나마 이 땅에서 아버지와 어머니를 만나게 해 주신 것을 감사드려요."

아브라함은 눈시울이 뜨거워졌다.

'고맙고 대견한 내 아들, 이삭!'

아브라함은 이삭을 번제 단 위에 올려놓고 결박하였다. 그리고 허리춤에서 칼을 꺼내 높이 쳐들었다. 칼날이 햇빛에 쨍 하고 번뜩였다. 이삭은 눈을 감았다. 아브라함도 눈을 감았다.

'잠시 후 이 칼이 가슴에 꽂히면 이삭은 죽는구나.'

높이 쳐든 칼을 힘껏 내리치려는 순간, 황급하고 다급한 목소리가 하늘에서 들려왔다.

"아브라함아! 아브라함아!"

"하나님, 제가 여기에 있나이다."

"네 아들에게 손대지 말라. 이삭에게 아무 일도 하지 말라. 네 외아들 이삭을 나에게 기꺼이 바침을 내가 아느니라. 네가 나를 경외하는 줄 이제 알았다."

아브라함은 그 때서야 하나님의 뜻을 깨닫고 가슴을 쓸어 내렸다. 그 때 '음메 음메' 하는 소리가 들렸다.

아브라함이 살펴보니 한 마리 숫양이 뒤에 있는데, 뿔이 풀숲에 걸려 발버둥치고 있었다.

'아, 이 숫양은 이삭 대신 번제물로 올리라고 하나님께서 보내 주신 것이로구나.'

아브라함이 그 숫양을 데려다가 이삭 대신 번제물로 하나님께 제사를 드렸다. 그리고 그 곳 이름을 '여호와 이레'라고 했다. 그 뜻은 '하나님께서 준비하셨다.'이다.

하나님께서는 아브라함의 놀랄 만한 순종의 모습을 보시고 그에게 말

씀하셨다.

"네가 너의 외아들 이삭을 아끼지 아니하였기에 내가 네게 큰 복을 주겠다. 하늘의 별과 바닷가의 모래를 헤아릴 수 없듯이 네 자손이 그만큼 번성하리라. 그리고 네 자손으로 말미암아 천하 만민이 복을 얻으리라."

아브라함은 이렇게 순종의 사람이었다. 첫째로 그는 하나님의 부르심에 순종했다. 그는 나아갈 바를 몰랐지만 순종하여 고향을 떠나서 하나님이 지시하시는 땅으로 떠났다. 둘째로는 자신과 아내 사라가 아이를 낳을 수 없다는 것을 알면서도 하나님께서 자손을 주시겠다고 하신 약속을 그대로 믿었다. 셋째로 아브라함이 100세에 얻은 아들 이삭을 바치라는 하나님의 명령에 즉각 순종하여 행동에 옮겼다. 이 믿음과 순종으로 아브라함은 믿음의 조상이라는 명예를 얻게 되었다.

쌍둥이 에서와 야곱

이삭의 어머니 사라가 127세를 살고 세상을 떠났다. 아브라함도 연로하여 죽기 전에 이삭이 결혼하기를 원했다. 이삭은 나이 마흔 살에 '리브가'라는 상냥하고 어여쁜 아가씨를 아내로 맞았다. 세월이 흘러 아브라함도 세상을 떠났다. 이삭은 아버지 아브라함이 남긴 넓은 땅과 가축을 모두 물려받았다.

하지만 이삭은 장가간 지 20여 년이 가깝도록 아기가 없었다. 이삭이 하나님께 자식을 간구하였더니, 하나님께서는 그 기도를 들으시고 이삭의 아내 리브가를 잉태케 했다.

이삭의 나이 예순 살에 아이를 낳았는데 자식에 대한 간구가 간절했던 것일까. 아들 쌍둥이였다. 이 아기들은 어머니의 뱃속에서 서로 먼저 나가려고 싸웠다. 먼저 나온 아기는 살이 붉고 온몸에 털이 많았다. 그래서 이름을 에서라고 지었다. 나중에 나온 아기는 손으로 그 형의 발꿈치를 잡고 나왔다. 그래서 이름을 야곱이라고 지었다.

에서는 어려서부터 사냥을 좋아하고 고기 잡는 것을 좋아했다. 그리고 그렇게 잡은 고기로 아버지께 요리를 만들어 드렸다. 생긴 모습도 크고 우람하며 털이 많고 씩씩했다. 동생 야곱은 얌전했다. 형처럼 나가서 사냥하기보다는 어머니 곁에서 심부름하는 것을 좋아했다. 어머니 리브가는 동생 야곱을 좋아했고, 아버지 이삭은 에서의 사냥솜씨와 남자다움을 좋아했다.

어느 날 에서가 들에 나가 사냥을 하고 집에 돌아왔을 때 무척 배가 고팠다.

"아이구, 배 고파."

그 때 팥죽 냄새가 났다. 한참 허기진 상태에서 맡은 팥죽 냄새에 에서는 더욱 배고픔을 참기 어려웠다.

팥죽을 끓이는 야곱에게 에서가 말했다.

"야곱, 형이 무척 배가 고프구나. 팥죽 한 그릇만 다오."

"싫은데요."

"싫다니?"

"제가 공들여 만든 요리를 그냥 줄 수는 없지요."

"도대체 네가 원하는 게 뭔데?"

"형님의 장자권을 내게 주세요."

"……?"

"장자권을 제게 주신다면 팥죽을 드리지요."

"야, 그게 뭐 대수냐? 너랑 나랑 쌍둥이고 태어난 시간 차이도 얼마나지 않는데 장자권이 다 무슨 소용이냐? 그래. 좋다, 좋아! 내가 너에게 장자권을 주마. 어서 팥죽이나 주렴."

"정말, 장자권을 내게 주는 거죠?"

"야, 내가 배고파 죽게 되었는데 장자권이 다 무슨 소용이냐?"

"정말이죠? 그럼 맹세하세요. 장자권을 팥죽과 교환한다고."

"맹세한다. 내 장자권을 네가 만든 팥죽과 바꾼다. 맹세해!"

이렇게 에서는 자기의 장자권을 팥죽 한 그릇에 동생 야곱에게 넘겨주고 말았다. 에서는 팥죽 한 그릇으로 허겁지겁 주린 배를 채웠다. 당장의 배고픔을 이기지 못하고 귀한 장자권을 헌신짝처럼 버린 것이다. 훗날 이 장자권을 넘겨준 것이 어떤 사건들을 만들어 낼지 모른 채.

세월이 흘러 나이가 든 이삭의 눈은 어두워졌다. 거동도 하기 힘들어서 누워서만 지냈다. 이삭은 자기가 살 날이 얼마 남지 않았다고 생각했다. 하루는 맏아들 에서를 불렀다.

"에서야, 내가 이제 늙어 언제 죽을지 모르겠구나. 들로 나가 나를 위해 사냥을 해 주겠니? 그래서 그 사냥한 고기로 내가 좋아하는 별미를 만들어 다오. 난 그것을 먹고 죽기 전에 너를 축복하고 싶구나."

이 말을 들은 것은 에서만이 아니었다. 방 밖에서 아내 리브가도 듣고 있었다. 리브가는 맏아들이 아버지 이삭을 위해 사냥을 나갔을 때 꾀를 생각해 내고는 야곱을 불렀다.

"야곱, 아버지가 에서에게 하시는 말씀을 들었다. 아버지께서는 에서가 사냥을 해서 맛있는 별미를 만들어 주면 축복해 주시겠다고 하는구나. 그러니 너는 내 말을 잘 듣고 내가 하라는 대로 하렴."

"어떻게 하면 되는데요?"

"우선 염소 떼에게 가서 염소의 좋은 새끼를 가져오너라. 내가 네 아버지의 식성을 잘 아니 맛있게 요리를 해 줄게."

"그 다음에는요?"

"네가 형 대신 들어가서 아버지께 축복을 받는 거야. 아버지의 눈이 어둡고 귀가 먹어서 형과 너를 분간하지 못할 거야."

"하지만 형은 털이 많아서 북슬북슬 하지만 제 살은 이렇게 매끈한데요. 아버지가 만일 손이라도 만지시면 어떡하지요?"

"앗! 그렇구나. 무슨 좋은 수가 없을까?"

"아버지가 저와 어머니가 속이는 것을 아시고 혹시 저주를 하면 어떻게 합니까?"

"아니다. 좋은 수가 있다."

"무슨 수가 있다는 거죠?"

"네 아버지가 저주를 하면 그 저주는 어미가 다 받으마. 염려하지 말거라."

야곱은 어머니의 말씀대로 염소 떼 중에서 가장 살찐 새끼를 가지고 왔다. 어머니 리브가는 염소 고기를 이용해 맛있는 별미를 만들었다. 그리고 에서의 좋은 의복을 야곱에게 입히고 그 손과 목 그리고 팔을 염소의 가죽으로 덮었다. 그리고 야곱에게 별미를 건네주면서 이삭이 누워 있는 방으로 밀어넣었다.

"에헴!"

야곱은 괜히 헛기침을 했다.

"누구냐?"

"예, 에서입니다. 아버지를 위해 사냥해 온 것으로 맛있는 별미를 만들어 갖고 왔습니다."

"생각보다 빨리 왔구나. 어떻게 이렇게 빨리 잡았느냐?"

"하나님께서 저를 도와주셔서 쉽게 잡을 수 있었어요."

"그런데 네 목소리가 이상하구나?"

"이상하다니요. 아버지?"

"어디 내 아들 에서가 맞나 네 손을 한번 만져 보자."

눈이 어두워진 이삭은 야곱의 손을 만져 보았다. 털이 북슬북슬한 에서의 손이 틀림없었다.

"아이고, 나이가 들으니 네 목소리도 내가 잊는구나. 허허. 어디 네가 만들어 온 요리 맛 좀 볼까?"

이삭은 요리를 맛보고 매우 흡족해했다.

"역시 좋은 놈을 골라 사냥했구나. 자, 이제 내가 너를 축복해 주마. 머리를 내 얼굴에 내어라."

이삭은 에서의 옷을 입은 야곱에게서 나는 향취를 맡으며 말했다.

"에서가 확실하구나."

이삭은 조상 대대로 내려오는 장자를 위한 축복의 말을 야곱에게 해 주었다.

"하나님은 하늘의 이슬과 땅의 기름짐이며 풍성한 곡식과 포도주를 네게 주시기를 원하노라. 만민이 너를 섬기고 모든 나라가 네게 굴복하리니 네가 형제들의 주가 되고 네 어미의 아들들이 네게 굴복하며 네게 저주하는 자는 저주를 받고 네게 축복하는 자는 복을 받기를 원하노라."

이렇게 야곱에게 축복을 마치고 얼마 지나지 않아 잠시 후 에서가 돌아왔다.

에서가 급히 별미를 만들어 아버지 이삭의 방으로 들어갔다.

"아버지, 에서입니다. 아버지를 위해 사냥을 하고 이렇게 별미를 만들어 왔습니다. 속히 드시고 저를 축복해 주십시오."

"뭐라고! 네가 에서라고? 그러면, 방금 전에 내가 축복해 준 사람은 누구냐? 네 아우 야곱이냐?"

"축복을 해 주셨다니요? 에서는 지금 와서 이렇게 아버지 곁에 무릎을 꿇고 있는 제가 아닙니까?"

이삭은 심하게 몸을 떨면서 말했다.

"네가 너 오기 전에 별미를 다 먹고 야곱에게 축복을 해 주었다. 네 아우 야곱이 축복을 받을 것이다."

"정정할 수 없는 것입니까?"

"그럴 수는 없다. 야곱이 거짓으로 꾸미고 내게 와서 축복을 받았을지라도 한번 해 준 축복은 번복할 수 없다. 아아, 어쩌랴! 네가 가져야 할 축복을 아우가 가져갔구나."

에서는 억울해서 방성대곡을 했지만 때는 늦었다.

"아버지, 야곱이 저를 속인 것이 두 번째입니다. 예전에 그 녀석이 나의 장자 명분을 팥죽 한 그릇에 흥정을 해서 가져갔는데……. 이제는 축복권까지 가져가다니. 야곱을 용서할 수 없습니다."

에서는 야곱에게 빼앗긴 축복권을 생각하니 억울해서 참을 수가 없었다. 그리고는 동생 야곱을 죽여 버리겠다고 고함을 질렀다.

"야곱, 이놈! 너 어디 있느냐? 잡히면 당장 내 손에 죽을 줄 알아라. 내가 널 가만두지 않겠다, 죽여 버리겠어. 내가 받을 축복을 빼앗아간 나쁜 놈!"

이 말을 들은 리브가는 황급히 야곱에게 달려가 말했다.

"네 형이 너를 죽이려고 하니 하란으로 도망가라. 거기 가서 외삼촌 라반의 집에 숨어 있거라."

야곱은 짐도 제대로 싸지 못한 채 어머니와 아버지께 작별 인사도 못하고 형의 손에 죽게 될까 두려워 황급히 집을 빠져나왔다.

얼마나 달렸을까. 야곱은 헐떡이는 숨을 몰아쉬며 풀밭에 주저앉았다. 자기가 살던 고향 집이 아득하게 멀리 있었다. 그리고 그 집은 아주 조그맣게 보였다.

'정든 이곳을 언제 다시 찾을 수 있을까?'

'어머니는 언제 다시 뵐 수 있을까?'

'연로하신 아버지는 이번 일로 마음의 충격이 크셨을 텐데…… 임종을 지켜 드리지 못하겠구나.'

여러 가지 생각으로 야곱은 머릿속이 복잡해졌다.

도망친 야곱

고향을 떠나 하란을 향해 가는 야곱은 해가 떨어지자 이름을 알 수 없는 어느 사막에 누워 잠을 청했다.

'얼마나 더 가야 외삼촌이 사는 하란 땅에 닿을 수 있는 걸까?'

하늘에 총총 박힌 수많은 별들은 아름다웠지만 야곱의 마음은 무거웠다. 형과 아버지를 속이고 축복을 받은 것과 앞으로 가족들을 다시는 볼 수 없을지도 모른다고 생각하니 가슴이 답답해졌다.

잠이 쉽게 오지 않았다. 마침 그 옆에 돌이 하나 있었다. 야곱은 그 돌을 베개 삼아 잠을 청했다.

얼마나 시간이 흘렀을까? 하늘에서 사닥다리가 내려오더니 그 사닥다리를 오르락내리락하는 사람이 있었다.

'아니 이게 무슨 일이야? 하늘에서 사닥다리가 내려오다니? 저 사람

들은 누구지?'

자세히 보니 천사들이었다. 그리고 그 천사들 위에 여호와 하나님이 계셨다. 하나님은 야곱에게 이렇게 말씀하셨다.

"나는 여호와니라. 너의 할아버지 아브라함의 하나님이요, 너의 아버지 이삭의 하나님이니라. 나는 네가 누운 이 땅을 네 자손에게 주리라. 네 자손이 땅의 티끌같이 되어서 동서남북에 많이 생길 것이다. 또한 땅의 모든 민족이 너와 네 자손으로 인하여 복을 받으리라. 내가 너와 함께 있어 네가 어디로 가든지 너를 지키며 너를 떠나지 아니하리라."

잠에서 깬 야곱은 베개를 삼았던 돌로 기둥을 세우고 그 위에 기름을 부었다. 그리고 그 곳 이름을 '벧엘'이라고 지었다. 벧엘의 뜻은 '하나님의 집'이다. 그리고 하나님께 약속을 드리는 서원 기도를 했다.

"하나님께서 어젯밤 꿈속에서 하신 말씀을 지켜 주신다면 저는 여호와 하나님을 나의 하나님으로 모시겠습니다. 제가 기둥으로 세운 이 돌이 있는 곳을 하나님의 집으로 만들겠습니다. 그리고 제게 주신 모든 것에서 십분의 일을 하나님께 드리겠습니다."

간밤에 꿈속에서 하나님을 만난 야곱은 힘이 생겼다. 두려울 것이 없었다. 하나님이 자신과 함께하시겠다는 그 말씀에 야곱은 용기가 났다. 그리고 힘찬 발걸음으로 화란을 향해 떠났다. 야곱의 모습은 더 이상 도망자의 모습이 아니었다.

하란에 도착한 야곱을 외삼촌 가족은 모두 반가워했다.

"네가 정말 내 동생 리브가의 아들이냐? 어디 보자. 리브가의 또렷한 눈매와 오똑한 코를 쏘옥 빼닮았구나. 어머니는 잘 계시고? 그리고 아버지도 평안하시냐?"

외삼촌 라반이 특히 야곱을 반가워했다. 외삼촌에게는 두 명의 딸이 있었다. 언니의 이름은 레아였고 동생의 이름은 라헬이었다. 야곱은 동생 라헬을 사랑했다. 어느 날 큰 마음을 먹고 외삼촌에게 말했다.

"외삼촌 제가 라헬을 좋아합니다. 결혼시켜 주십시오."

"그래, 네가 라헬을 좋아하고 있었구나. 그렇다면 우리 집을 위해 7년 동안 양을 치거라. 그러면 7년이 지난 뒤 너와 라헬을 혼인시켜 주겠다고 약속하마."

라헬을 사랑하는 마음이 너무 커서 야곱은 열심히 일을 했다. 그 사랑이 얼마나 컸는지 7년 동안 하는 일이 하나도 힘들지 않았다. 라헬을 쳐다볼 때마다 야곱은 가슴이 뛰었다.

'오, 아름다운 라헬, 내가 당신을 위해 양을 치리라. 나의 신부가 될 아름다운 사람……'

약속대로 7년이 지났다. 드디어 야곱은 라헬을 아내로 맞아들일 수 있었다. 첫날밤을 치르고 아침이 되었을 때 야곱은 깜짝 놀랐다. 자기 옆에 누워 있는 사람은 라헬이 아닌 언니 레아였다. 야곱은 화가 나서 외삼촌에게 따져 물었다.

"외삼촌, 어떻게 그럴 수가 있습니까? 7년 동안 일하면 라헬을 아내로 주신다고 약속하지 않았습니까?"

"응. 그렇게 약속했지. 하지만 우리가 사는 이 땅은 언니보다 동생이 먼저 시집가는 풍습은 없단다. 그래서 레아를 너에게 준 것이다."

"그러면 어떻게 해야 합니까? 저는 라헬을 사랑합니다."

"네가 라헬을 그토록 원한다면 라헬을 위해 7년을 더 일하거라. 그러면 라헬을 아내로 주겠다."

야곱은 외삼촌에게 화가 났다. 그런 풍습이 있다는 것을 진작에 말해 주지 않은 것에 분이 났다. 그러나 라헬을 너무 사랑하기에 7년을 더 일하겠다고 약속을 했다. 이렇게 해서 야곱은 또다시 7년 동안을 외삼촌 댁에서 보수 없이 일을 했고, 그토록 간절히 원했던 라헬을 아내로 맞을 수 있었다.

라헬을 얻기까지 무려 14년의 시간을 투자한 것이다. 그렇게 열심히 일했지만 야곱에게는 재산이 없었다. 라헬을 위해 일했기 때문이다. 재산이 없는 야곱은 새로 생긴 가족들을 부양하기 위해서 외삼촌에게 제의를 했다.

"외삼촌, 제가 이 곳에 오고 나서 외삼촌 집안의 재산이 늘어난 것을 아시지요?"

"그렇지. 너로 인해 내가 복을 받은 것을 알고 있다."

"저는 이제 결혼도 했고 가족도 있습니다. 언제까지 외삼촌 밑에서 있을 수는 없습니다. 그리고 때가 되면 제 고향으로 떠나야 할 것 같습니다. 이제부터는 제 몫을 주십시오."

"어떻게 하면 되겠느냐?"

"저는 앞으로도 외삼촌의 일을 돕겠습니다. 그 대신 7년이 지나면 외삼촌의 양과 염소 중에서 검거나 얼룩무늬가 있는 양과 염소를 제게 주십시오."

외삼촌 라반은 자기가 기르는 양과 염소를 머릿속에 떠올려 보았다. 생각해 보니 그 무리 중에서 검거나 얼룩무늬가 있는 양과 염소는 거의 없었다. 라반 생각에는 그런 양과 염소가 태어날 가능성이 별로 없었다. 만약 있더라도 그 숫자가 얼마 되지 않을 것 같았다. 라반은 흔쾌히 승낙했다.

'야곱이 똑똑한 줄 알았는데, 어리석구나. 내 양과 염소들이 검거나 얼룩무늬가 있는 새끼를 쑥쑥 낳을 거라고 생각하나 보군. 콩 심은

데 콩 나고 팥 심은 데 팥 나는 것을 야곱은 모르는 모양이군. 흐흐.'

그날부터 야곱은 외삼촌의 염소와 양을 전적으로 맡아서 키웠다. 야곱은 풀밭에 소와 양들을 풀어놓고 키웠다. 야곱은 훌륭한 목자였다. 그는 어떻게 하면 얼룩 무늬의 양과 검은 염소를 만들 수 있는지 알고 있었다. 양과 염소를 키우는 데에 야곱은 한 가지 특이한 습관이 있었다. 염소와 양이 물을 먹는 냇가에 버드나무와 살구나무와 신풍나무의 푸른 가지를 꺾었다. 그런 다음 그 나뭇가지의 껍질을 벗겨 흰 무늬를 냈다. 그리고 그 껍질 벗긴 가지를 냇가에 세워 양 떼와 염소 떼를 향하게 했다. 그리고 양과 염소가 이곳에 와서 물을 먹고 가게 했다. 그런데 놀라운 것은 여기서 물을 먹고 간 염소와 양이 낳은 새끼들은 얼룩 무늬가 있거나 검은 것들이었다. 야곱은 꾀 하나를 더 썼다. 토실토실하고 건강한 염소나 양은 이 물가에 와서 물을 먹고 새끼를 낳게 했다. 그러나 약한 염소나 양은 이 물가에서 새끼를 낳지 못하게 했다. 그 결과 튼튼한 양과 염소는 야곱의 것이 되었고 약한 양과 염소는 외삼촌의 것이 되었다. 그렇게 하여 야곱은 금방 부자가 되었다.

고향으로 돌아간 야곱

부자가 된 야곱은 그동안 아이들도 낳았다. 레아는 많은 자식을 낳았지만 야곱이 사랑하는 라헬은 자식이 없었다. 라헬은 아이가 없어 늘 마음이 아프고 속상했다. 남편의 사랑은 언니보다 자기가 더 많이 받지만 자식이 없는 것에 늘 주눅들어 있었다. 남편인 야곱에게도 미안했다.

하나님은 이런 라헬의 슬픔을 아시고 아들을 주셨다. 그 아이의 이름은 요셉이었다. 야곱은 열한 번째 아들 요셉을 유난히 사랑했다. 사랑하는 라헬이 낳은 자식이었기에 더욱 마음이 갔다. 거기다 요셉은 누구보다 영특하고 예의 바른 아이였다.

이렇게 열한 명의 아들과 아내, 그리고 많은 염소와 양을 가진 부자가 된 야곱은 고향을 생각했다.

'어머니, 아버지는 안녕하실까?'

'형은 아직도 나를 미워할까? 나를 아직도 용서하지 않고 있을까?'

걱정되는 부분도 있었지만 고향 산천이 그리웠다. 자신이 어렸을 때 뛰어놀던 푸른 풀밭을 자기의 자식들과 뛰고 싶었다.

"애들아, 여기가 바로 아버지가 자란 곳이야. 아버지가 어렸을 때 놀던 곳이란다."

이렇게 얘기해 주고 싶었다.

야곱은 많은 식솔들을 이끌고 고향인 가나안으로 떠났다. 고향으로 돌아가는 야곱 일행의 모습은 마을 전체가 이사 가는 것과 같았다. 야곱의 식구뿐만 아니라 하인들과 그들의 식구도 함께 떠났기 때문이다. 그리고 그 많은 양과 염소 등의 짐승들도 한 줄로 이어져 가나안으로 향했다. 멀리서 보면 이 풍경은 마치 한 동네 사람들이 피난을 가는 것 같았다.

고향으로 가는 야곱의 마음속에는 설렘도 있었지만 형에 대한 두려움도 있었다.

'형이 나를 죽이면 어떡하지?'

야곱은 이번 기회에 어떻게 해서든 형과 화해하고 싶었다. 꾀 많은 야곱은 이번에도 좋은 생각을 찾았다. 야곱은 자기가 데리고 나온 하인들과 많은 염소와 양을 3등분했다. 그리고 차례차례 고향으로 보냈다.

혹시 형 에서가 자기가 보낸 재산을 보고 마음을 돌려 자기를 반가이 맞아 줄지도 모른다고 생각했기 때문이다. 모든 식솔들이 강을 건너 가나안으로 갔다. 이제 남은 사람은 야곱 혼자뿐이었다.

얍복 강가에 혼자 남은 야곱에게 어떤 사람이 다가왔다. 처음 보는 사람이었다. 야곱은 직감적으로 그가 하나님이 보낸 사자라는 것을 알았다. 그래서 그를 붙잡고 보내 주지 않았다. 야곱은 온 힘을 다해 그를 붙잡았다. 야곱이 어찌나 애를 쓰던지 하나님의 사자는 야곱을 이기지 못했다. 힘에 부친 하나님의 사자는 결국 야곱의 환도뼈(허리뼈)를 쳐서 부러뜨렸다. 그래도 야곱은 하나님의 사자를 놓아 주지 않았다.

"대체 나에게 원하는 게 무엇이오?"

"나를 축복해 주지 않으면 이 곳에서 한 발자국도 가지 못하오!"

"좋소이다. 내가 당신을 축복해 드리리다. 당신은 정말 지독한 사람 이군요."

결국 야곱은 하나님의 사자와 겨루어 이겼다. 그러나 야곱은 환도뼈가 부러져서 절름거리며 얍복 강을 건너야 했다. 이 때부터 이스라엘 사람들은 환도뼈 힘줄을 먹지 않는데, 그것은 하나님의 사자가 야곱의 환도뼈의 큰 힘줄을 쳤기 때문이다. 야곱은 이 곳의 이름을 '브니엘' 이라고 불렀다. 브니엘은 하나님의 얼굴이란 뜻이다. 야곱이 하나님을 대면해 보았으나 생명을 지킬 수 있었기에 지은 이름이다.

하나님은 야곱에게 이스라엘이라는 새 이름을 주셨다. 그 뜻은 '하나님과 씨름하여 이김' 이라는 뜻이다.

한편, 야곱의 걱정과 달리 에서는 동생 야곱에 대해 노여웠던 마음을 풀고 있었다. 에서는 동생 야곱이 보낸 많은 하인과 양과 염소들을 보고 기뻐했다.

"내 동생 야곱이 이렇게 부자가 되어 돌아오다니!"

몇십 년 만에 만난 야곱과 에서는 서로 부둥켜안고 울었다.

"형님, 그 때는 제가 잘못했습니다."

"아니다. 아냐. 네가 이렇게 살아 있다는 것만으로도 나는 기쁘다. 어머니께서 살아 계시다면 널 보고 얼마나 좋아하시겠니? 흑흑흑!"

에서는 참고 있던 눈물을 쏟으며 말했다. 어머니 리브가는 하란 땅으로 떠난 막내아들을 그리워하다 세상을 떠났다고 했다. 다행히 아버지는 살아 계셨다.

"형님, 제가 하란에서 모은 재산을 모두 형님께 드리겠습니다."

"그럴 필요 없다. 내게도 재산은 충분하다."

야곱은 그의 많은 재산을 형 에서에게 주려고 했지만 에서는 동생의 선물을 받지 않았다.

시간이 좀 지나자 이 형제의 가축은 너무 많아져 이제 함께 살 수가 없었다. 많은 양 떼와 염소 떼로 풀밭의 풀들이 금방 없어졌기 때문이다. 결국 에서는 멀리멀리 떠나 다른 곳으로 갔고, 동생 야곱이 아버지의 집에 머물러 살게 되었다.

요셉의 자만

야곱의 아들들은 건강하게 잘 자랐다. 요셉이 태어나고 얼마 후 야곱이 사랑하는 아내 라헬은 아들 하나를 더 낳았다. 그러나 아이가 태어나자마자 라헬은 숨을 거두었다. 야곱의 슬픔은 너무 컸다. 그 아들의 이름을 베냐민으로 지었다. 야곱은 라헬에게서 태어난 요셉과 베냐민을 각별히 사랑했다.

요셉은 형들과 남다르게 자랐다. 아버지 야곱은 요셉에게 채색 옷을 입혔다.

"아버지는 왜 요셉만 예뻐하시는 거야!"

형들의 불만은 높았다. 하지만 야곱의 마음은 오로지 요셉에게 가 있었다. 열두 명의 아들 중 요셉이 가장 영리했고 아버지 마음을 잘 헤아렸기 때문이다. 그래서 요셉의 부탁이라면 무엇이든지 들어주었다. 거기다 요셉은 형들이 잘못한 일이 있으면 아버지께 쪼르르 달려가 고자질을 했다. 그런 까닭에 형들이 요셉을 보는 시선은 곱지 않았다.

어느 날 요셉은 꿈을 꾸었다. 참 이상한 꿈이었다. 꿈이 하도 신기해서 일어나자마자 형들에게 달려가 이야기를 해 주었다.

"형님들, 제가 어제 꿈을 꾸었는데 너무 재미있어요. 제 이야기 좀 들어 보세요."

"도대체 무슨 꿈을 꾸었기에 아침부터 호들갑이냐?"

"어디 한번 이야기해 봐라. 우리가 꿈을 풀어 줄게."

형들은 요셉을 비아냥거렸다. 하지만 요셉은 아랑곳하지 않고 자기가 꾼 꿈을 이야기했다.

"제가 형님들과 밭에서 보릿단을 묶었어요. 모두 열두 개였어요. 그런데 내가 묶어 놓은 보릿단을 나머지 열한 개의 보릿단이 둘러싸더니 내가 묶은 보릿단에 절을 하더라구요."

"뭐라고? 그럼 네가 우리 왕이라도 된다는 말이냐?"

"어휴, 기분 나빠. 저 녀석이 아버지 사랑을 혼자 독차지하더니 아주 우리를 무시하는군."

"야, 그런 꿈을 뭐라고 그러는 줄 아니? 바로 개꿈이라고 하는 거야. 개꿈 말이야 개꿈!"

요셉은 자기 꿈을 무시하는 형들을 이해할 수 없었다. 그리고 괜히 머쓱해졌다. 다음 날 요셉은 또 꿈을 꾸었다. 요셉은 어제 형들에게 무시당한 것을 생각하지 않고 또 꿈 이야기를 했다.

"형님들, 제가 어젯밤에도 꿈을 꾸었는데 좀 들어 보세요."

"그래, 어디 그 개꿈 이야기 또 들어 보자. 또 보릿단 이야기냐?"

"아니에요. 이번엔 보릿단이 아니라 별이에요. 하늘에 별이 열한 개 떠 있었어요. 그런데 해와 달이 나타나더니 나머지 별들과 함께 일제히 나에게 머리를 숙여 인사를 하더라구요."

형들은 또 기분이 나빠졌다. 요셉의 말을 잠자코 듣고 있던 아버지 야곱도 기분이 언짢았다. 해와 달은 아버지와 어머니를 상징하는 것이라고 여겼기 때문이다. 그러나 야곱은 요셉의 그 말을 가슴에 새겼다. 아버지로서 기분은 나빴지만 분명히 크게 될 아이라고 생각했다.

형들은 모두 멀리까지 양을 치러 나갔다. 아버지 야곱은 요셉에게 도시락을 싸 주며 형들에게 갖다 주라고 했다. 심부름을 가는 요셉은 신이 났다. 이렇게 혼자서 멀리까지 나가 본 적이 없었기 때문이다. 달리다가 걷다가 하늘의 구름을 보다가 냇가에서 잠시 쉬기도 했다. 집을 떠난 지 두어 시간 만에 저 멀리 형들이 양을 치는 모습이 보였다. 요셉은 형들에게 달려갔다.

"형님들, 제가 도시락을 가지고 왔어요."

멀리서 요셉이 달려오는 모습을 본 형들은 또다시 기분이 나빠졌다.

"저 녀석만 없어지면 우리가 아버지의 사랑을 받을 수 있겠지?"

"그래, 아버지는 요셉만 좋아하셔. 맛있는 것도 요셉만 주시고, 제일 좋은 옷도 꼭 요셉에게 입히시지."

"우리 이참에 요셉을 없애 버리자!"

"어떻게?"

"죽여 버리는 거야."

"그럴 순 없어."

"그래도 우리의 피가 흐르는 동생이야. 아무리 미워도 그렇게 할 수는 없어."

"그럼 저 녀석을 깊은 구덩이에 밀어넣어 버리자!"

"좋은 생각이긴 하지만 아버지께는 어떻게 말씀드리지?"

"양 한 마리를 죽이고 그 피를 요셉의 옷에 묻히는 거야. 그리고 아버지께 보여 드리자. 요셉이 아마도 큰 짐승한테 물려 죽은 것 같다고. 우리가 발견한 것은 찢어져 피 묻은 이 옷뿐이었다고 말씀드리자."

형들은 요셉이 오자마자 옷을 벗기고 깊은 구덩이에 밀어 버렸다. 그 구덩이에는 다행히 물이 없었다. 요셉은 구덩이 밑에서 형들을 향해 울며 살려 달라고 애원을 했다. 하지만 형들은 들은 체도 하지 않았다.

"형님들, 잘못했어요. 다시는 잘난 체하지 않을게요. 아버지께서 좋은 것을 주시면 형님들하고 나누어 가질게요."

"그럴 필요 없다. 너는 이제 끝이야. 형들을 무시하는 놈은 크게 혼이 나야 돼. 이제 우리를 볼 생각일랑 말아!"

형들은 끝내 요셉의 청을 무시하고 자기들끼리 집으로 갈 채비를 하고 있었다. 그 때 마침 상인들이 그 곳을 지나게 되었다. 그들은 낙타에 유향, 몰약 상품 등을 가득 싣고 애급(지금의 이집트로 성경에는 애굽이라고 되어 있음)으로 가고 있는 중이었다.

형제 중 한 명이 말했다.

"애들아, 이렇게 요셉을 구덩이에 넣고 가기보다는 저 상인한테 팔아 버리자. 그럼 저 녀석도 살고 우리도 돈을 벌 수 있잖아."

형들은 요셉을 상인에게 은 20냥을 받고 팔아 버렸다.

그리고 아버지 야곱에게 와서는 거짓말로 요셉이 큰 짐승에게 잡아먹

힌 것 같다며 준비한 옷을 보여 주었다. 심하게 찢어져 형체를 알 수 없는 그 옷은 분명 요셉의 옷이었다. 야곱은 아들을 잃은 슬픔에 큰 소리로 울었다.

"악한 짐승이 내 사랑하는 아들 요셉을 삼켰구나. 오호! 내 아들을 죽였구나."

야곱은 잃어버린 아들 요셉 생각에 몇 달을 눈물로 지냈다. 막내아들 베냐민이 아버지에게 큰 위로가 되어 주었다. 베냐민과 요셉은 어머니가 같았기에 야곱은 베냐민이 더욱 측은해 보였다. 그래서 더욱 베냐민을 사랑했다.

아버지가 상심하며 슬퍼하는 모습을 보고 그 때서야 형들은 자신들이 한 일을 후회했다. 하지만 소용이 없었다.

팔려 간 요셉

요셉은 애급의 왕인 파라오의 시위 대장 보디발의 집으로 팔려 갔다. 하나님께서 요셉과 함께하심으로 요셉이 보디발의 집으로 온 이후 집안이 날로 번창했다. 보디발은 요셉을 신임하게 되어 그 집의 모든 일을 요셉에게 일임했다. 그것뿐 아니라 자신의 모든 재산을 요셉에게 관리하게 했다. 매사에 일 처리가 꼼꼼하고 확실한 요셉이었기에 보디발은 요셉을 더욱 신임했다.

요셉은 나날이 멋진 청년으로 장성했다. 애급의 어느 처녀가 보아도 한눈에 반할 만큼 잘생긴 외모에 멋진 체격과 근육을 가졌다.

하루는 보디발이 집을 떠나 멀리 출장을 가게 되었다. 보디발의 아내는 정숙한 여자가 아니었다.

"요셉, 너의 주인 보디발이 집을 비웠어. 오늘 밤 내 방으로 와 줘."

평소부터 요셉을 흠모하던 보디발의 아내가 요셉을 은밀히 유혹했다.

"아뇨. 그럴 수는 없습니다. 저는 보디발님의 충성된 종입니다. 그리고 하나님을 믿는 사람입니다."

그러나 요셉은 그녀의 청을 단호히 거절했습니다.

보디발의 아내는 며칠 동안 계속 집요하게 요셉을 유혹하려 들었다. 요셉은 보디발의 아내를 피해 다녔지만, 그 여자는 용케도 요셉이 있는 곳을 찾아 내어 요셉을 괴롭혔다.

하루는 볼 일이 있어 보디발의 집 안에 들어갔다가 그 여자를 만나게 되었다. 여자는 요셉을 보자마자 옷을 잡으며 함께 자자고 유혹했다. 여자가 심하게 요셉의 옷을 잡는 바람에 요셉의 옷이 찢어졌다. 요셉은 옷을 버려두고 도망쳐 나왔다.

여자는 소리쳤다. 자신의 부탁을 거절한 요셉을 혼내 주고 싶은 마음에 큰 소리로 외쳤다.

"요셉 잡아라!"

그 소리에 놀라 하인들이 달려나왔다.

"이것 좀 봐라. 이것이 무엇인지 아느냐? 바로 우리의 주인 보디발이 아끼는 요셉의 옷이다. 그가 나를 겁탈하려고 하다가 내가 소리 지르며 저항하자 이렇게 옷을 버리고 도망을 갔구나. 그 녀석을 당장 잡아들여라."

그리고 보디발이 집에 돌아왔을 때 찢어진 요셉의 옷을 보여 주며 요셉의 행적을 거짓으로 말했다.

보디발은 화가 머리끝까지 치밀었다.

"요셉을 신뢰했기에 집안의 모든 일을 그에게 맡겼는데……. 고얀 놈! 은혜를 이런 식으로 갚다니!"

화가 난 보디발은 요셉을 옥에 가두었다.

요셉이 갇힌 감옥은 그 나라의 모든 죄수들을 가두는 곳으로 하는 일이 무척 많았다. 요셉은 그 곳 간수의 눈에 들어 감옥의 일도 맡아서 하게 되었다. 하지만 여전히 감옥에서 생활해야 했다.

어느 날 요셉이 갇힌 감옥에 두 명의 죄수가 들어왔다. 두 사람 모두 왕 밑에서 일하던 관원이었다. 한 명은 술을 만드는 자였고 또 한 명은 떡을 굽는 자였다. 죄수들이긴 했지만 친구가 생겨 요셉은 외롭지 않았다. 요셉은 그 두 사람을 잘 섬겼다. 자기보다 어른이었고 궁전에서 일하던 사람이었기 때문이다. 그러나 무엇보다 요셉은 하나님을 믿는 사람으로, 다른 사람을 사랑으로 섬겨야 한다고 생각했기 때문이다.

어느 날 아침, 두 사람이 자리에서 일어나더니 심각한 표정을 지었다. 두 사람 모두 꿈을 꾸었는데 그 꿈이 각기 달랐다.

"도대체 무슨 꿈일까?"

고개를 갸우뚱거리며 고민하는 두 사람의 얼굴은 창백했다. 수심에 깊이 싸여 있는 이들에게 요셉이 그 이유를 물었다.

"이보게 젊은이, 내가 꿈을 꾸었는데 참 이상하네."

"제게 말씀해 보세요. 제가 꿈을 해몽해 드리지요. 하나님께서 저를 통해 그 꿈을 풀어 주실 것입니다."

먼저 술을 맡던 관원이 말했다.

"내가 잠을 자는데 내 앞에 포도나무가 나타났어. 그 나무에 세 가지가 있고 싹이 나서 꽃이 피고 포도알이 싱싱하게 익었더라구. 내가 그 포도알을 따 즙을 짜서 파라오의 잔에 따라 드렸지. 그런데 그 잔을 파라오가 받아 드시더라구."

요셉은 잠시 생각을 하더니 입을 열었다.

"세 가지는 사흘을 의미합니다. 지금부터 사흘 안에 파라오가 아저씨를 다시 복직시킬 것입니다. 아저씨, 다시 파라오 밑에서 일을 하게 되거든 부디 저를 잊지 말아 주십시오."

"다시 복직만 된다면 그게 무슨 대수겠나. 내가 젊은이의 억울함을 꼭 풀어 주겠네. 파라오한테 바로 이야기를 하지. 젊은이를 풀어 달라고. 꿈대로 된다면야 무슨 부탁인들 못 들어 주겠나?"

이번에는 떡을 맡던 자가 이야기했다.

"나는 이런 꿈을 꾸었어. 흰 떡 세 광주리가 내 머리 위에 있었어. 맨 위의 광주리에는 파라오를 위한 여러 가지 구운 떡이 있었어. 그런데 새들이 와서 그 광주리의 떡을 먹는 거야. 파라오가 드실 떡을 말이야. 이건 무슨 뜻인가?"

요셉은 근심에 잠기더니 조심스럽게 입을 열었다.

"세 광주리 역시 사흘을 뜻합니다. 사흘 안에 파라오가 당신을 죽이고 나무 위에 매달 것입니다. 그러면 새들이 와서 당신의 시체를 뜯어 먹을 것입니다."

"예끼! 이 사람아. 그런 말도 안 되는 소리 말게나! 순전히 엉터리야, 엉터리!"

떡을 맡던 관원은 이렇게 말했지만 걱정하는 모습이 역력했다.

사흘이 지났다. 그날은 파라오의 생일이었다. 그 생일 잔치를 위해 파라오는 감옥에 있는 술을 맡던 자와 떡을 맡던 관원장을 다시 불렀다. 두 사람은 너무 떨렸다. 너무 긴장해서 손이 부르르 떨리고 목소리도 나오지 않았다.

과연 요셉의 해몽은 맞았을까?

요셉의 해몽은 적중했다. 요셉의 말대로 술을 맡던 사람은 복직되었고 떡을 맡던 사람은 죽음을 당했다.

하지만 술을 맡던 관원장은 요셉을 잊어버렸다. 요셉이 부탁했던 말을 까마득하게 잊고 있었던 것이다. 그렇게 시간은 갔고 요셉은 여전히 억울하게 감옥에 갇혀 있어야 했다.

왕의 꿈을 해석한 요셉

"아니, 이 나라에 내 꿈을 해석할 만한 사람이 이리도 없단 말이냐?"

파라오는 크게 노했다. 이유는 파라오가 꿈을 꾸었는데 하도 이상해서 여러 사람들을 불러 그 꿈을 해석해 보게 했지만, 모두 다 고개만 갸웃거릴 뿐 속시원한 답을 주지 못했기 때문이다. 파라오는 그 꿈으로 몹시 근심하고 있었다. 음식도 제대로 먹지 못했다.

파라오의 화난 목소리에 술을 맡은 관원장은 그때서야 감옥에 있던 요셉이 생각났다.

'벌써 2년이 흘렀는데……. 그 젊은이는 어떻게 되었을까?'

술을 맡은 관원장은 요셉과의 약속을 지키지 못한 것이 미안했다. 그래서 곧 파라오에게 달려가 요셉에 대해 얘기했다.

"왕이시여, 제가 아는 젊은이가 있사온데, 그는 꿈 해석을 아주 잘 합니다."

"어떤 젊은인가?"

"예, 가나안 땅에서 온 히브리 사람입니다."

"그는 지금 어디에 있는가?"

"억울한 누명을 쓰고 감옥에 갇혀 있습니다."

요셉은 파라오 앞으로 불려 갔다. 파라오는 자기 꿈 이야기를 요셉에게 들려주었다.

"내가 나일 강에 서 있는데 살찐 암소 일곱 마리가 올라왔어. 그러더니 그 뒤에 흉측하게 뼈만 남은 암소들이 올라오더구나. 그런데 그놈들이 먼저 올라온 살찐 암소들을 잡아먹는 것이었다. 이것이 첫 번째 꿈이다."

"두 번째 꿈은 어떤 것입니까?"

"두 번째 꿈은 줄기 하나에 나 있는 무성하고 알찬 일곱 이삭을 말라붙어 쭉정이가 된 일곱 이삭이 먹어 버리는 꿈이었다. 대체 이게 무슨 꿈이냐? 내가 이 나라의 지혜 있는 자들을 모두 불러 이 꿈을 해석하게 했으나 소용이 없었다. 네가 말해 줄 수 있겠느냐?"

파라오의 꿈 이야기를 들은 요셉은 하나님께 지혜를 구했다.

"하나님, 파라오가 꾼 꿈이 대체 무슨 뜻입니까? 내가 그 꿈을 풀 수 있도록 허락해 주십시오."

하나님은 요셉에게 그 꿈을 풀어 주셨고, 요셉은 그 이야기를 파라오에게 전했다.

"저는 할 수 없지만 하나님께서 그 꿈을 풀어 주셨습니다. 두 가지 꿈 모두 같은 내용입니다. 앞으로 7년 동안 풍년이 있을 것입니다. 그리고 그 풍년이 있은 다음의 7년 동안은 지독한 흉년이 들 것입니다. 파라오께서는 이를 대비하셔야 합니다. 7년 동안 풍년일 때 그 곡식을 잘 관리해 두었다가 흉년일 때 백성들에게 나누어 주십시오. 그리고 그 풍년과 흉년은 애급뿐 아니라 근처에 있는 모든 나라도 겪게 될 것입니다. 왕께서는 현명한 사람을 관리로 임명하셔야 합니다. 풍년일 때 그 곡식들을 잘 관리하면 애급은 더욱 부자 나라가 될 수 있습니다."

요셉의 말을 들은 파라오는 흡족했다. 그 꿈의 해석이 맞는 것 같았다. 파라오는 자기가 끼고 있던 인장반지를 요셉의 손가락에 끼워 주었다. 그리고 요셉을 바로 국무총리로 임명했다. 그러자 모든 신하들이 요셉의 발 아래 엎드려 절하였다.

얼마 전까지 캄캄한 감옥에서 억울한 누명을 쓰고 살아야 했던 요셉이 국무총리가 되는 꿈 같은 일이 현실로 일어났다.

과연 요셉의 말대로 애급은 7년 동안 대풍년이었다. 요셉은 흉년을 대비하기 위해서 풍년일 때 거둔 수확물을 함부로 소비하지 않고 창고에 잘 보관해 두었다. 7년이 지나고 흉년이 시작되었다. 비는 한 방울도 내리지 않아 논밭의 농작물은 바짝바짝 타 들어갔다. 나일 강도 모두 말라 버렸다. 사람들은 먹을 것이 없어 아우성이었다. 폭동이라도 일어날 분위기였다. 하지만 현명하게 흉년을 대비한 요셉이 백성들을 위해 곡식을 나누어 주어 위기를 넘길 수 있었다. 파라오는 더욱더 요셉을 신임하게 되었다.

그러나 7년의 흉년을 대비하지 못한 이웃 나라는 어려움을 겪게 되었다. 그 중에는 가나안 땅도 있었다. 가나안 땅은 물이 풍부한 곳이 아니었다. 원래 가뭄이 잦은 지역인데 7년 동안의 가뭄과 흉년이니 가나안 사람들의 고통과 굶주림은 이만저만이 아니었다. 바로 그 가나안 땅에 요셉의 아버지 야곱과 형제들이 살고 있었다.

'가나안 땅도 여간 힘들지 않을 텐데……. 아버지와 형님들은 잘 있 을까? 내 동생 베냐민은 많이 컸겠지?'

요셉은 가끔씩 다른 나라에서 식량을 구하러 온 사람들을 보면 가족 들이 생각나서 눈물이 났다.

'모두들 잘 계실까?'

한편, 가나안 땅에 있는 야곱의 식구들은 심한 고통을 겪고 있었다. 그 많던 재산도 흉년으로 인해 많이 잃어버렸다. 열한 명의 아들과 수 많은 손자들, 그리고 하인들을 거느린 야곱의 근심은 날로 커졌다. 하지 만 나이가 들어 늙었기에 어찌할 수가 없었다. 그래서 막내 베냐민만 자기 곁에 두고 나머지 열 명의 형제들에게는 애급으로 가서 곡식을 사 오라고 시켰다.

"하루라도 빨리 떠나거라. 너희들이 빨리 와야 이 곳 사람들이 살 수 있다."

열 명의 형제들은 빈 자루를 나귀에 싣고 멀리 애급으로 떠났다. 여 러 날이 지나서야 시내 사막을 건넜고 마침내 나일 강 기슭에 다다랐 다. 오랜 가뭄으로 나일 강의 바닥이 드러났다.

드디어 형제들은 애급의 식량을 맡은 국무총리, 바로 자기들의 동생 요셉 앞에 섰다. 열 명의 형제들은 요셉 앞에 겸손히 머리를 조아렸다. 그리고 절을 했다.

요셉은 한눈에 그들이 형들이란 것을 알았다. 하지만 모르는 체했다.

마음은 형들에게 달려가 안기고 싶었지만 참았다. 아버지와 동생의 안부를 묻고 싶었지만 참았다.

"나리, 저희는 가나안 땅에 사는 사람들입니다. 애급에는 식량이 많다고 들었습니다. 가나안에 있는 저희의 연로한 아비를 위해 식량을 얻어 가려고 왔습니다. 부디 저희를 불쌍히 여기시고 식량을 나누어 주십시오."

요셉은 아주 어렸을 때 자기가 꾼 꿈을 기억했다. 열한 개의 볏단이 자기가 묶은 볏단에 절을 하던 꿈을.

요셉은 이렇게 말했다.

"너희가 그냥 선량한 가나안의 사람이란 것을 내가 어찌 믿을 수 있겠느냐? 너희는 내가 생각하기에 정탐꾼이다. 이 나라의 틈을 엿보려고 온 정탐꾼 말이다."

"그렇지 않습니다. 저희는 모두 한 형제입니다. 저의 아버지가 가나안에 계시고 막내도 거기에 있습니다. 제발 오해하지 마시고 저희를 불쌍히 여겨 식량을 주십시오. 돈은 달라는 대로 드리겠습니다."

"너희가 정탐꾼이 아니라는 증거를 대 보거라."

"저희가 어떻게 해야 정탐꾼이 아님을 믿으시겠습니까?"

"내가 곡식을 주는 대신 한 사람은 여기에 남으라. 그리고 그 곡식을 가지고 고향에 갔다가 막내 동생을 데리고 오라. 그럼 내가 너희가 정탐꾼이 아님을 인정하고 여기 남은 한 사람을 풀어 주겠다."

이렇게 말하는 요셉의 마음은 무척 아팠다. 눈물이 울컥 쏟아질 것 같아 얼른 자기 방으로 뛰어들어가 눈물을 닦았다. 그리고 다시 밖으로 나와 형제 중 한 명을 남게 하고 자루마다 곡식을 풍족히 부어 주었다. 또한 가나안까지 가는 데 필요한 양식도 주었다. 돈도 받지 않고 그냥 가져가라고 했다.

"우리 형제를 정탐꾼으로 여기면서 왜 이런 대접을 하는 거지?"

형제들은 이상하게 생각했다.

아홉 형제는 가나안에 도착해 아버지 야곱에게 이 모든 이야기를 전해 주었다. 야곱은 슬퍼했다. 어쩔 수 없이 사랑하는 막내아들을 내어 줄 수밖에 없었다.

야곱은 라헬이 낳은 유일하게 남은 아들 베냐민이 행여 죽지나 않을까 두려웠지만 애굽에 볼모로 잡혀 있는 아들을 위해 베냐민을 형들과 함께 애굽으로 보냈다.

야곱의 형제들은 다시 애굽으로 향했다. 그리고 요셉을 만났다. 베냐민을 데리고 왔기에 그들이 정탐꾼이 아니라는 것을 증명할 수 있었다. 요셉은 볼모로 잡아 놓은 형을 풀어 주었다. 그리고 형제들이 낙타에 신고 가기에 벅찰 만큼 많은 곡식을 주었다. 그리고 요셉은 나름대로 생각이 있어 막내 동생 베냐민의 자루에 자신이 아끼던 은잔과 돈을 몰래 넣었다.

고향으로 돌아가는 형들의 마음은 가벼웠다. 정탐꾼이라는 오해도 풀었고 잡혀 있던 형제 하나가 풀려났고 아버지가 끔찍이 아끼는 동생 베냐민도 무사히 아버지께로 데리고 갈 수 있었기 때문이다.

"애굽의 국무총리는 마음이 무척 넓은 분이구나. 우리에게 이렇게 좋은 것들을 많이 주시니 말야."

"분명히 애굽은 복을 받을 거야. 훌륭한 정치인이 있는 나라는 망하지 않는 법이야."

이렇게 형제들은 그 국무총리가 자기들이 오래 전에 판 요셉인지도 모르고 입에 침이 마르도록 칭찬했다.

그 때였다. 멀리서 '따각따각' 말이 달려오는 소리가 들렸다. 먼지도 뽀얗게 일어나고 있었다.

"무슨 일일까?"

형제들은 의아해하며 가나안을 향해 계속 걸어갔다. 그런데 갑자기 한 무리의 말을 탄 군인들이 형제들 앞에 서더니 무서운 얼굴로 이렇게 말했다.

"너희들은 어찌하여 은혜를 도둑질로 갚는단 말이냐?"

"무슨 말씀이십니까? 도둑질이라뇨?"

"이 자루에 든 것들은 저희가 정당하게 얻은 것들입니다. 절대 훔친 것이 없습니다."

형제들은 두려움에 떨면서 말했다. 하지만 훔치지 않았으니 떳떳했다. 곧 오해가 풀릴 것이고 군인들은 자기들이 그런 사람이 아니라는 것을 곧 알게 될 것이라고 생각했다.

"뭐라고? 훔친 것이 없다고? 이런 고얀 것들! 거짓말을 하다니? 우리 주인님의 은잔이 없어졌다. 너희들의 소행이 틀림없어."

"그럴 리가 없습니다. 저희는 결백합니다. 정 믿지 못하시겠다면 저희들의 자루를 풀어 보십시오."

"만약 누군가의 자루에서 은잔이 나오면 그를 죽여도 좋습니다. 그리고 남은 우리는 당신들의 종이 되겠습니다."

군인들은 사나운 표정으로 하나하나 자루를 쏟아 보았다. 앗! 그런데 베냐민의 자루를 땅바닥에 쏟았을 때 반짝반짝 빛나는 은잔이 나왔다. 거기다가 돈도 한 무더기 나왔다.

형제들은 일제히 베냐민을 쳐다보았다.

"형님들, 아닙니다. 제가 한 짓이 아닙니다."

베냐민은 울며 형들에게 말했다. 베냐민의 형들도 울먹이며 말했다.

"나리, 뭔가 오해가 있습니다. 저희 아우는 절대 그런 짓을 할 사람이 아닙니다."

"소용없다. 이 놈들! 너희를 가만두지 않겠다."

이렇게 형제들은 군인들에게 붙잡혀 요셉에게 다시 왔다.

"너희들은 어찌하여 내게 이런 나쁜 짓을 했단 말이냐?"

"저희가 무슨 말을 할 수 있겠습니까? 이렇게 분명히 은잔이 우리 자루에서 나왔으니 말입니다. 그러나 우리는 정직합니다. 무언가 우리가 알지 못하는 일이 있었던 것입니다. 그러나 그 정직을 어떻게 증명할 수 있겠습니까?"

"그렇게 억울하더냐? 좋다. 그럼, 너희는 돌아가라. 은잔이 누구의 자루에서 나왔더냐? 그자만이 나의 종이 될 것이다. 나머지 사람들은 평안히 너희 아버지가 있는 곳으로 가라."

요셉이 이렇게 말하자 형제 중 한 명이 애원하며 말했다.

"베냐민은 우리 아버지가 늦게 얻은 자식으로 얼마나 귀하게 여기는지 모릅니다. 그에게 친형이 하나 있었는데 일찍 죽고 아버지께서 그 동생 베냐민을 심히 사랑하셨습니다. 동생이 이 곳에 남는다면 아버지의 근심과 슬픔은 하늘에 닿을 것입니다. 사랑하는 아들을 또 한번 잃는다면 그 분은 더 이상 살 의미를 찾지 못할 것입니다. 그분의 막내아들을 우리가 데려가지 못하면 저희는 아버지의 얼굴을 뵐 수가 없습니다. 막내의 생명은 아버지의 생명입니다. 청컨대 제가 이 아이 대신 남게 해 주십시오. 그리고 이 아이는 우리 형제들과 함께 보내 주십시오. 제발, 저의 소원을 들어주십시오."

이 소리를 들은 요셉은 더 이상 자기의 마음과 실체를 숨길 수가 없었다. 요셉은 자기가 한 나라의 국무총리라는 사실도 잊고 형제의 정을 억제하지 못하고 큰 소리로 울며 달려가 형제들을 와락 껴안았다.

"형님, 저 요셉입니다. 어찌 저를 못 알아보십니까? 저는 한눈에 형님들을 알아보았는데 말입니다."

그 소리에 놀란 형제들도 동생 요셉을 붙잡고 함께 울었다.

"당신이 정말 우리가 오래 전에 애급에 판 요셉입니까?"

"예, 형님. 요셉이 맞습니다."

요셉의 형들이 왔다는 소문은 궁궐에까지 이르렀다. 파라오와 그 신하들도 다함께 기뻐했다. 파라오는 요셉의 형제들에게 말했다.

"가나안에 가서 너희의 아버지를 모시고 오라. 내가 너희에게 이 나라 애급의 아름다운 땅을 주리라. 너희 가족에게 기름진 것을 먹이리라. 이 나라 애급의 좋은 것은 모두 다 너희 것이 되리라."

가나안에 돌아온 형제들은 기뻐하며 아버지 야곱에게 이 모든 일을 말했다.

"아버지 죽은 줄 알았던 요셉이 애급의 총리가 되었습니다. 요셉이 아버지를 모셔 오라고 보낸 저 금빛 나는 수레를 보십시오."

야곱은 그 소리에 누워 있는 침상에서 벌떡 일어났다. 얼마 전까지 다 죽어 가던 그 노인이 아니었다. 오래 전에 짐승에게 물려 죽었다고 생각한 아들이 살아 있다는 것만도 큰 기쁨인데, 그 아들이 세계에서 가장 번성한 나라의 총리가 되어 있다니 믿을 수 없었다.

"아아, 내 아들 요셉이 살아 있다니. 내 당장 달려가 요셉을 보겠다. 내가 죽기 전에 그를 보겠다. 자아, 당장 애급으로 떠나자."

야곱과 그 가족들은 짐을 꾸려 애급으로 향했다.

"내 아들 요셉을 보다니. 이제 죽어도 여한이 없겠구나!"

야곱은 기쁨을 가누지 못했다.

애급에 도착한 야곱과 그의 자식들은 파라오가 준 고센 땅에 머물렀다. 고센은 나일 강 삼각주 동쪽에 있는 곳으로 아주 기름진 땅이었다. 야곱의 가족들은 애급에서 편안하게 살았다. 오래 전 하나님이 벧엘에서 야곱에게 약속하신 대로 야곱의 후손들은 하늘의 별처럼 바닷가의 모래처럼 많아졌다. 히브리 인들은 애급의 그 어느 민족보다 나날이 번성해 갔다.

아기 모세

세월이 몇 백 년이 지나 이제 애급의 파라오는 그 옛날의 요셉을 알지 못했다. 히브리 인들은 그 숫자가 점점 불어났다. 그 세력이 강성해지자 애급인들은 히브리 인들을 두려워하기 시작했다.

"히브리 인들이 우리를 물리치고 자기 나라를 건설할지도 몰라!"

"히브리 인들을 없앨 방법이 없을까?"

결국 히브리 인들은 애급 인들의 노예가 되었다. 애급 사람들은 힘든 일들은 모두 히브리 인을 시켰다. 도로와 제방을 쌓는 일, 성을 쌓는 일, 피라미드를 건설하는 일 등 모든 힘든 노역을 하게 했다. 그러나 학대를 하면 할수록 히브리 인은 더 강해졌다. 이에 위협을 느낀 애급의 왕 파라오는 명령을 내렸다.

"히브리 인이 아기를 낳을때, 남자 아이면 무조건 강에 빠뜨려 죽여버려라. 만일 여자 아이라면 살려 두어라."

아므람이라는 히브리 인 집안에 아이가 태어났다.

"어휴, 잘생긴 아들이에요. 그런데 이걸 어째. 이렇게 귀여운 아이를 물에 빠뜨려야 하다니······."

산파가 걱정스럽게 말했다. 그러나 아므람 가족은 그 아이를 몰래몰래 3개월 동안이나 키웠다. 아기가 울 때마다 가족들은 마음을 졸여야 했다. 혹시 아기의 울음소리를 듣고 군인들이 와서 아이가 남자 아이라는 것을 알면 아기와 가족들을 모두 죽일지 모르기 때문이었다. 더 이상 숨겨서 아기를 키우는 것이 불가능하다고 생각한 가족들은 어쩔 수 없이 아기를 강물에 띄워 보내기로 했다.

"아기야, 꼭 살아서 다시 만나자."

가족들은 아기를 갈대 상자에 넣어서 강물에 띄워 보냈다. 아기를 넣은 갈대 상자는 물결을 따라 아래로 아래로 내려갔다. 떠내려가는 갈대 상자 속의 아이는 가족들과 헤어지는 사실을 아는지 모르는지 순진한 눈을 깜박거리며 푸른 하늘을 바라보았다. 아기의 누나 미리암이 강물을 따라 흘러가는 갈대 상자의 뒤를 좇으며 빌었다.

'혹 마음씨 고운 애굽 사람이 아기를 발견하여 키워 주기를······.'

그 때 마침 강가에서 애굽의 공주가 목욕을 하고 있었다. 공주는 갈대 상자가 둥둥 떠내려오는 것을 보고 그것이 무엇인지 궁금했다.

"여봐라. 저기 저 상자를 가져오너라."

갈대 상자 속을 본 공주는 깜짝 놀랐다. 상자 속에는 예쁜 아기가 공주를 보고 방실방실 웃고 있었다.

"어머, 예뻐라. 이렇게 고운 아기를 누가 버렸을까?"

"공주님, 아마 히브리 인의 아기인 것 같습니다."

"그래. 하지만 히브리 인의 아기라도 이렇게 내가 본 이상 생명을 죽일 수가 없구나. 내가 데려다 키워야겠다. 그런데 아기를 키우려면 유모가 필요한데······. 너희 중에 누구 아기를 잘 키우는 유모를 알지

못하느냐?"

그 때 아기의 누나인 미리암이 이 모습을 지켜보고 있다가 말했다.

"공주님, 제가 좋은 유모를 소개해 드릴까요?"

"조그만 네가 그런 사람을 알고 있느냐?"

"예, 저희 어머니예요. 저희 어머니는 아기들을 무척 사랑하고 잘 보십니다."

"그럼 네 어머니를 한번 만나 보자꾸나!"

미리암은 어머니에게 달려가서 이 모든 사실을 말했다. 아기의 어머니를 본 공주는 어머니가 마음에 들었다.

"그런데 이름은 뭐라고 지을까?"

공주가 말했다.

"물에서 건졌으니 '모세'가 어떨까요?"

"모세라……. 그래 모세가 좋겠구나."

이렇게 해서 히브리 인의 아기는 목숨을 구하게 되었고 모세라는 이름을 얻었다. 그리고 궁궐에서 자라게 되었다. 거기다 자기 친어머니의 젖을 먹으며 무럭무럭 잘 자랐다. 아기가 철이 들 무렵 유모는 지금까지의 이야기를 모두 해 주었다. 그리고는 히브리 인이라는 것을 잊지 말라고 당부했다. 모세는 궁궐에서 애급의 학문을 배웠고 어머니로부터 히브리 인의 역사와 전통을 배웠다. 이렇게 시간이 지나 모세는 멋진 청년이 되었다.

민족의 고난을 깨달은 청년 모세

어느 날 모세는 히브리 인들이 일하는 곳을 지나가게 되었다. 히브리 인들은 애급 군인들의 감시를 받으며 일을 하고 있었다. 무척 열심히 땀을 흘리며 일을 하고 있는데도 군인들은 히브리 인이 잠시라도 쉬는 것을 보면 가만히 두지 않았다.

"이 게으른 히브리 인 같으니라고!"

"철썩!"

히브리 인의 등을 갈기는 채찍 소리는 끔찍했다.

"으으윽……."

같은 동포인 히브리 인의 신음 소리를 들은 청년 모세는 가슴이 무척 아팠다.

"여보시오. 이렇게 사람을 함부로 다루면 어떻게 하오?"

"당신이 무슨 일로 상관하시오? 여기 담당자는 바로 나요! 나!"

하면서 군인은 히브리 인을 더욱 무섭게 다루었다.

화가 난 모세는 그만 그 군인을 때려눕혔는데, 그 군인이 그만 죽어

버렸다. 깜짝 놀란 모세는 모르는 척하고 궁궐로 돌아왔다.

며칠 후 다시 궁궐 밖으로 나갔다가 이번에는 히브리 인끼리 심하게
다투고 있는 것을 보게 되었다. 모세가 말했다.
"같은 동포끼리 싸우면 안 됩니다. 무슨 일로 이렇게 다투십니까?"
"당신이 뭔데 참견이오? 며칠 전에는 애급 군인을 죽이더니 이제는
나를 죽일 참이오?"
이 말에 모세는 깜짝 놀랐다.
'내가 사람을 죽인 것을 알고 있는 사람이 있었구나. 이것이 궁궐에
알려지면 나는 목숨을 부지하기 어려워. 어떻게 하면 좋을까?'
결국 모세는 그 날 아무것도 지니지 않은 채 애급을 도망쳐 나왔다.
이제 그의 신분은 애급 공주의 아들이 아닌 살인자가 된 것이다.

애급을 도망쳐 나온 모세는 홍해 근처에 있는 미디안이라는 마을에
도착했다. 그리고 우물가에서 목을 축이고 앉아 있었다. 빨리 도망쳐 오
느라고 모세는 많이 지쳐 있었다. 그 때 일곱 명의 처녀들이 우물가로
왔다. 그 일곱 명은 모두 자매로 미디안의 제사장인 이드로의 딸들이었
다. 일곱 명의 처녀들이 물을 길으려 하는데, 목동들이 와서 여자들을
괴롭혔다. 이를 본 모세는 그 목동들을 쫓아 처녀들을 구해 주었다.
"고맙습니다."
"아닙니다. 별 말씀을 다 하십니다. 마땅히 할 일을 했을 뿐입니다."
"나그네이신 것 같은데……. 주무실 곳이 없으면 저희 집에 가서 주
무십시오."
일곱 명의 처녀들은 모세를 자기 집으로 초대했다. 저녁에 아버지가
돌아왔을 때 우물가에서 있었던 일을 전했다. 이드로는 모세에게 감사

하다고 말하며 자기 집에서 살도록 했다. 모세는 이드로의 딸 중에 가장 아름다운 '십보라'라는 딸과 결혼하여 미디안에서 살았다. 그리고 아들도 낳았다. 모세는 미디안에서 장인 이드로를 도와 양을 치며 살아 갔다. 그리고 가끔씩 애급에서 고생하고 있을 동포들을 생각했다.

'아직도 우리 민족은 애급 사람들에게 고통을 당하고 있을까?'

'어머니와 가족들은 모두 안녕하실까?'

'나를 키워 주신 양어머니도 잘 계실까?'

어느 날 모세는 양을 데리고 호렙 산으로 갔다. 한참 풀을 뜯고 있는 양들을 살피고 있는데 무언가 활활 타고 있는 것이 보였다.

'누가 불을 지른 것도 아닐 테고……. 저게 뭘까?'

모세는 불타고 있는 곳으로 가 보았다. 떨기나무 한 그루가 불에 타고 있었다. 그런데 놀라운 것은 나무에 불이 붙었지만 나무는 타지 않고 있는 것이었다.

'앗! 세상에, 이런 일이!'

모세는 신기한 광경에 이끌려 떨기나무에 더 가까이 다가갔다. 그 때 누군가의 음성이 들렸다.

"모세야! 신을 벗어라. 네가 서 있는 곳은 거룩한 곳이다."

"당신은 누구십니까?"

"나는 하나님 여호와다."

모세는 깜짝 놀라 신을 벗었다. 하나님은 모세를 향해 말씀하셨다.

"모세야, 너는 애급에서 너의 동족이 애급 사람들의 박해로 고생하는 것을 보았다. 이제 너는 네 동포를 위해 일해야 한다."

"대체 무슨 일을 해야 하나요?"

"너의 동포들을 애급에서 데리고 나오너라."

"그렇게 많은 사람을 어떻게 데리고 나옵니까? 그리고 파라오가 허락해 줄 리 없습니다. 히브리 인들이 애급을 나오면 애급의 힘든 일을 할 사람들이 없어집니다. 그러니 파라오는 반대할 것입니다."

"내가 너와 함께할 것이다. 걱정하지 말아라."

"그러나 저는 말을 잘 못합니다. 수줍음이 많아서 말도 제대로 하지 못하는데 어떻게 파라오를 설득할 수 있습니까?"

"네 형 아론이 있지 않느냐? 아론이 너를 도와줄 것이다. 그리고 내가 히브리 인을 애급에서 데리고 나올 수 있도록 많은 기적을 보여 줄 것이다."

모세는 자신이 없었다. 하지만 하나님은 모세에게 계속 용기를 북돋워 주셨다.

"히브리 인들이 고생하는 것을 볼 때 너의 마음이 편하더냐? 그들을 애급의 손에서 구해 내어 아름다운 가나안 땅으로 데리고 가라. 젖과 꿀이 흐르는 그 땅으로 인도하라. 내가 너와 함께한다고 약속하지 않느냐?"

"예. 알겠습니다."

모세는 굳은 신념으로 가슴이 불타올랐다.

"나는 할 수 없으나 하나님이 나와 함께하시니 하겠습니다."

열 가지 재앙

모세는 애급으로 돌아갔다. 그리고 말 잘하고 지혜로운 형인 아론을 만나 하나님이 자기에게 모습을 보이신 이야기를 해 주었다. 아론을 만나니 모세의 마음은 더욱 든든해졌다. 다음 날 모세는 아론과 함께 파라오를 찾아갔다.

"우리 히브리 인을 이제 놓아 주십시오."

"뭐라고? 네가 지금 제 정신이냐?"

"히브리 인을 해방시켜 주십시오. 우리가 애급을 떠나 가나안 땅으로 들어가 살도록 해 주십시오."

하지만 파라오는 허락을 해 주지 않았다. 오히려 히브리 인들에게 더 힘든 중노동을 시켰다. 히브리 인들은 모세를 욕하기 시작했다.

"왜 쓸데없는 짓을 해서 우리를 더 힘들게 하는 거야!"

"가나안을 간다고? 그러면 사막을 건너야 하는데……. 난 사막이 싫어. 차라리 노예로 남아 있는 게 낫다고!"

하지만 모세는 히브리 인들을 설득했다.

"우리는 애급의 종살이를 할 사람들이 아닙니다. 우리는 하나님에게 선택받은 민족입니다. 하나님은 우리를 위해 멋진 땅을 준비하셨습니다. 이제 우리의 자리는 노예가 아니라 주인입니다."

모세와 아론의 말에 사람들의 마음이 움직이기 시작했다.

모세는 며칠 후 파라오를 찾아갔다. 하지만 파라오의 마음은 조금도 변한 것이 없었다.

"왜 자꾸 와서 나를 귀찮게 하느냐? 내가 너희 민족을 가나안 땅으로 보내 줄 것 같으냐?"

모세는 실망을 했다. 풀이 죽었다. 자기의 말을 좀처럼 듣지 않는 파라오의 완고한 마음을 바꿀 가망성이 없기 때문이었다. 그 때 하나님은 모세에게 이렇게 말씀하셨다.

"모세야, 파라오에게 가서 이렇게 말해라. 히브리 인을 놓아 주지 않으면 애급 땅에 무서운 일이 일어날 것이라고."

다음 날, 모세는 형 아론과 함께 파라오는 찾아가서 다시 한 번 청했다. 하지만 파라오는 그 날도 거절을 했다. 그리고 이렇게 말했다.

"하나님이 너희를 보냈다면 증거를 보여 봐라!"

그래서 아론은 자기의 지팡이를 던졌다. 그랬더니 지팡이가 뱀이 되었다. 그러자 파라오의 신하 중 마법사가,

"그런 건 나도 할 수 있다."

하며 자기의 지팡이를 던졌다. 그 마법사의 지팡이도 뱀이 되었다. 그러자 아론의 뱀이 마법사의 뱀을 삼켜 버렸다. 그래도 파라오의 마음은 변하지 않았다. 참을 수 없었던 아론은 그의 지팡이로 나일 강의 물을 건드렸다. 그랬더니 물이 금방 빨간 피로 변했다. 애급에 있는 모든 시내와 우물의 물이 빨갛게 변해서 마실 수 없었다. 애급 사람들은 마실 물이 없어서 난리를 피웠다. 하지만 파라오는 여전히 허락하지 않았다.

그러자 모세는 다시 애급의 온 나라 안에 개구리 떼가 가득하도록 만들었다. 온 나라 안은 개구리로 가득했다. 방 안에도 뜰에도 우물에도 길에도. 사람들은 득실거리는 개구리 때문에 아무것도 할 수 없었다.

파라오가 모세를 불러 말했다.

"나는 개구리가 싫다. 개구리를 없애 주면 너희가 애급에서 나가는 것을 허락해 주겠다."

모세가 개구리를 모두 없앴지만 파라오는 약속을 지키지 않았다. 오히려 시치미를 떼면서 그렇게 말한 적이 없다고 우겼다.

하나님은 모세와 아론을 통해 재앙을 내렸다. 이가 들끓게 한 것이다.

"아이구! 가려워서 못 살겠다!"

사람들은 피가 나도록 몸을 긁었다. 파라오도 이 때문에 가려워서 잠을 잘 수가 없었다. 그래서 이를 없애 주면 보내 주겠다고 말했다. 이를 없앴지만 파라오는 또 약속을 어겼다. 그래서 모세는 이번에는 파리 떼를 보냈다.

"웅!"

파리들이 날아다니는 소리로 정신이 없었고, 온몸에 파리가 붙어 간지러워 참을 수 없었다. 파리 떼로 전염병이 생겨 많은 사람들이 죽었다. 파라오는 파리를 없애 주면 히브리 인들을 보내 주겠다고 약속했다.

"정말이십니까?"

"암, 그렇고말고. 네가 파리만 없애 주면 너희 히브리 인을 당장 보내 주겠다."

모세가 파리 떼를 없애 주었지만 이번에도 파라오는 약속을 지키지 않았다. 그래서 다섯 번째는 가축들이 전염병에 걸려 죽게 했다. 여섯 번째는 사람과 가축에게 종기가 생기게 했다. 그 때마다 파라오는 거짓말을 하며 약속을 지키지 않았다. 일곱 번째 재앙은 하늘에서 주먹만한 우박이 쏟아진 것이었다. 우박이 떨어져 사람과 가축이 맞아 죽었다. 또 농작물에 떨어져 먹을 수가 없게 되었다. 나무에 떨어져 나무들이 많이 부러졌다. 여덟 번째는 메뚜기 떼를 보냈다. 너무 많은 메뚜기 떼로 하늘이 보이지 않았다. 메뚜기 떼는 온 밭을 뒤덮어 남아 있는 채소와 과일을 모두 먹어 버렸다. 아홉 번째는 3일 동안 해가 뜨지 않았다. 캄캄한 밤이 3일 동안 계속되었다. 별도 달도 뜨지 않았다. 사람들은 불이 없으면 다니지 못했다. 파라오의 마음속에 서서히 두려움이 생기기 시작했다.

"히브리 인을 애급에 두었다가는 나라가 망할지 모르겠군!"

파라오는 모세를 불렀다.

"히브리 인의 아이들을 볼모로 두고 가거라."

"그럴 수 없습니다. 히브리 인은 한 명도 빠짐없이 보내 주십시오."

모세는 파라오의 청을 거절하고 돌아왔다. 그 날 하나님이 모세와 아론에게 나타나 말씀하셨다.

"오늘 밤 큰 재앙이 닥칠 것이다. 애급에 있는 모든 첫째로 난 것들이 죽는다. 가축이나 사람이나 상관없이 모두 첫째는 죽는다. 그러나 이 재앙을 벗어나는 길이 있다. 양을 잡아서 그 피를 문설주에 발라라. 그리고 절대 집 밖으로 나오지 말아라. 죽음의 영이 애급을 덮칠 때에 문설주에 있는 피를 보고 그냥 지나칠 것이다."

그날 모든 히브리 인들은 집 문설주에 양의 피를 바르고 잠을 잤다. 다음 날 무슨 일이 일어났을까? 애급에 있는 모든 첫째가 죽었다. 파라오가 세상에서 제일 사랑하는 첫째 아들도 죽었다. 아들을 잃은 파라오의 슬픔은 너무나 컸다. 결국 파라오는 모세와 아론을 불러 말했다.

"내가 졌다. 히브리 인들을 데리고 이 땅을 떠나라. 너희 히브리 인들은 이제 꼴도 보기 싫다!"

"만세! 만세! 만세!"

사람들은 애급에서의 노예 생활을 마치게 되어 너무 기뻤다. 히브리 인들은 짐을 싸서 애급의 땅을 떠났다. 그 사람들이 얼마나 되었을까? 성경에서는 남자 어른만 60만 명이었다고 말한다. 어린이와 부녀자를 합치면 어림잡아 2, 3백만 명이 넘었을 것이다.

갈라진 홍해

히브리 인들이 떠난 뒤 애급 사람들은 히브리 인들이 하던 고된 일을 해야 했다. 종으로 부리던 사람들이 없어졌으니 생활하기도 어려워졌다. 모든 일을 직접 해야 하니 귀찮기도 했다. 변덕스러운 파라오의 마음이 또다시 변했다. 그리고는 명령을 내렸다.

"빨리 군사를 보내 히브리 인들을 데리고 오라!"

　수십만 명의 무장을 한 군인들이 말을 타고 히브리 인들을 뒤쫓았다. 군인들은 걸어가는 히브리 인들을 곧 잡을 수 있는 속도로 내달렸다.

　히브리 인들을 인솔해 가던 모세는 큰 어려움을 만났다. 홍해가 히브리 인들 앞에 있었다. 가나안을 가려면 홍해를 건너야 하는데 이들에게는 배가 없었다. 배가 있다고 하더라도 그렇게 많은 사람들을 옮기기에는 어려움이 많았다.

　그 때 말발굽 소리가 났다.

　"애급의 군대다!"

　"애급 군인들이 우리를 잡으러 오고 있어요!"

　사람들은 불안에 떨었다.

　"모세, 어쩔 생각이오! 애급의 군인들에게 잡히는 순간 우리는 이제 다 죽게 되든지, 다시 애급으로 끌려가 예전보다 더 고통스런 고문을

당하며 일하게 될 것이오!"

"우리는 이제 꼼짝없이 죽게 되었다구요!"

모세는 백성들에게 잠잠히 있으라고 말을 한 뒤에 두 손을 올려 하나님께 기도했다.

"하나님, 도와주세요. 당신이 우리 히브리 인들을 젖과 꿀이 흐르는 가나안 땅으로 인도한다고 하지 않았습니까? 기적을 만드는 하나님, 이번에도 우리에게 기적을 베푸셔서 우리가 애급의 군사들로부터 벗어나게 해 주십시오."

기도를 마친 후 모세는 홍해를 향해 손을 내밀었다. 그리고 말했다.

"바다야, 갈라져라!"

그러자 바다가 양쪽으로 쩍 갈라졌다. 길이 생긴 것이다.

"자, 어서 건너라!"

히브리 인들은 앞을 다투어 홍해를 건넜다. 드디어 그들의 앞에 육지가 나타났다. 한 사람 한 사람씩 육지에 도착했다. 먼저 도착한 사람들은 안도의 한숨을 쉬었다. 그리고 거의 대부분의 히브리 인들이 육지에 도달했다. 애급의 군사들도 말을 타고 갈라진 홍해의 바닷길을 달려왔다. 히브리 인들은 또다시 불안해졌다. 그러자 모세는 다시 바다를 향해 손을 뻗었다. 그리고 큰 소리로 외쳤다.

"바다야, 다시 합쳐져라!"

그러자 바다가 하나로 합쳐졌다. 쫓아오던 애급의 군인들은 바다 한복판까지 왔기에 모두 바닷물에 빠져 죽었다.

히브리 인들은 만세를 불렀다.

"와와! 하나님이 우리를 살려 주셨다. 이제는 완전한 자유의 몸이다!"

히브리 인들은 하나님께 감사의 기도를 올렸다.

가나안까지 가는 길은 멀었다. 먹을 것도 없었다. 사막이라 낮은 너무 더웠고 밤은 너무 추웠다. 하나님은 그런 히브리 인들을 위해 낮에는 구름 기둥으로 더위를 막아 주었고 밤에는 불기둥으로 추위를 막아 주었다. 그리고 만나와 메추라기를 아침마다 내려 주셔서 히브리 인들은 먹을 걱정을 하지 않아도 되었다. 물이 없을 때는 모세가 지팡이로 바위를 톡톡 건드리면 샘물이 나왔으므로 목도 마르지 않았다.

십계명을 주신 하나님

히브리 인들이 홍해를 건너 사막을 지날 때 아말렉 사람들이 히브리 인들을 습격하여 가축들을 훔쳐 갔다. 오랫동안 노예로 일만 했던 히브리 인들은 싸우는 방법을 몰랐다. 히브리 인들은 전쟁을 두려워했다. 그것을 알게 된 아말렉 군사는 더욱 기세가 등등하여 히브리 인들을 괴롭했다. 모세는 히브리 인 청년 중에 용감하고 지혜가 있는 여호수와를 지휘관으로 삼았다. 그리고 아말렉 군사들과 싸우도록 했다. 그리고 자신은 산에 올라가 손을 들고 히브리 인들이 이기게 해 달라고 기도를 했다.

그러자 놀라운 일이 벌어졌다. 모세가 손을 들고 있을 때에는 히브리 인이 아말렉 사람들을 이겼다. 그러다 모세가 힘들어 스르르 팔을 내리면 아말렉 사람이 이겼다. 이것을 깨달은 히브리 인은 모세의 팔이 내려오지 않도록 모세의 팔을 붙잡아 주었다. 어떤 사람은 팔을 밑에서 받쳤다. 결국 이렇게 해서 오랫동안 히브리 인을 괴롭히던 아말렉 사람들을 완전히 이길 수 있었다. 아말렉 사람들은 더 이상 히브리 인을 공격하지 않았다.

시내 산에 왔을 때, 모세는 자기가 할 일을 생각했다.
'이렇게 많은 사람들을 앞으로 어떻게 다스려야 할까?'
모세는 하나님의 말씀을 듣고 싶었다. 고민하던 모세는 시내 산에 올라가 하나님께 도움을 청하기로 했다.
모세는 산에 올라가기 전에 사람들에게 당부했다.
"하나님이 원하시지 않는 일은 절대로 하지 마시오. 하나님은 형상을 만들어 놓고 절하는 것을 아주 싫어합니다."
모세는 시내 산에 올라갔다. 40일 동안 하나님의 음성을 듣고자 시내 산에 홀로 있었다. 모세는 겸손히 하나님의 계시를 기다렸다.
한편 히브리 인들은 모세가 시내 산에 올라간 후 40일이 지나도 아무런 소식이 없자 동요되기 시작했다.
"모세에게서 지금까지 소식이 없으니 아마 무슨 일을 당한 것 같소!"
"마음이 이렇게 불안하니 우리 제사를 지냅시다."

그들은 하나님을 예배하는 법을 몰랐다. 그래서 애급에 있을 때 애급 사람들이 하던 방식대로 제사를 지냈다. 그리고 하나님이 아닌 애급에서 섬기는 이방신을 모셨다. 히브리 인들은 애급에서 나올 때 가지고 나온 금을 모아 녹여서 커다란 금송아지를 만들었다. 그리고 맛있는 음식을 만들어 먹었다. 춤을 추며 금송아지에게 절을 했다. 술에 취해 곤드레만드레가 되었다. 모두들 제정신이 아니었다.

그 때 모세는 하나님에게 열 가지 계명을 받아 가지고 내려왔다. 하나님은 그 계명을 돌판에 새겨 주었다. 돌판은 두 개였다. 평야에 내려와서 히브리 인들이 하는 모습을 본 모세는 화가 머리끝까지 났다. 지금 모세의 눈앞에서 벌어지는 광경은 하나님께서 가장 싫어하시는 것이었다. 모세는 백성들을 향한 분노를 참을 수 없었다. 그리고는 화를 다스리지 못해 하나님이 주신 돌판을 던져 버렸다.

"도대체 뭣하는 짓들이오? 하나님이 형상을 만들어 절하지 말라고 하지 않았소?"

모세가 던진 돌판에 금송아지는 박살이 났다. 돌판도 두 동강이 났다. 그 순간 송아지에게 절을 하고 춤을 추던 사람들이 즉사했다. 거의 2천 명이 넘었다

사람들은 이 모습을 보고 잠잠해졌다. 하나님과 모세에게 부끄러워 고개를 들지 못했다. 모세는 다시 산 위로 올라갔다. 하나님은 다시 모세에게 백성에게 가르칠 계명이 새겨진 두 개의 돌판을 주셨다. 모세는 돌판을 가지고 평야로 내려와 그것을 백성들에게 가르쳤다. 그것은 모두 열 가지의 계명이 담긴 것으로 십계명이라고 불린다.

십계명의 내용은 다음과 같다.

제일은 나 외에 다른 신을 섬기지 말라.

제이는 우상을 만들지 말라. 하늘에 있는 것이나 땅에 있는 것이나 물속에 있는 것이나 어떤 형상도 만들지 말고 그것들에게 절하지 말라.

제삼은 하나님 여호와의 이름을 망령되게 하지 말라.

제사는 안식일을 기억하여 거룩하게 지켜라. 엿새 동안은 힘써서 일하고 칠일 되는 날은 아무 일도 하지 말라.

제오는 네 부모를 공경하라. 그리하면 네가 장수하리라.

제육은 살인하지 말라.

제칠은 간음하지 말라.

제팔은 도둑질하지 말라.

제구는 네 이웃을 해하려고 거짓말을 하지 말라.

제십은 네 이웃의 집과 물건을 탐내지 말라.

십계명을 받고 나서 모세는 성막을 지었다. 그리고 그곳에서 하나님께 제사와 예배를 드렸다. 성막은 하나님의 말씀이 선포되는 성스러운 장소가 되었다.

가나안 땅을 정탐함

히브리 인은 애급을 떠난 지 2년 반 만에 가나안 땅이 보이는 가데스 바네아에 도착했다. 모세는 가나안 땅을 정탐하기 위해 열두 명의 젊은 이를 가나안 땅에 보냈다. 여호수아와 갈렙을 빼고 그들 모두는 가나안 땅의 견고한 성과 가나안 사람들의 큰 키에 놀랐다. 그리고는 모세에게 와서 말했다.

"우리가 보기에 가나안은 우리 힘으로 이기기에 불가능합니다. 그들은 키가 너무 크고 체격도 좋습니다. 거기에 비하면 우리는 메뚜기같이 작습니다."

"으음……."

그들의 보고를 받은 모세는 한숨을 내쉬었다.

"여호수아, 갈렙! 너희 생각은 어떠냐?"

"가나안 땅은 과연 아름다운 곳입니다. 하나님께서 우리를 사랑하신다면 젖과 꿀이 흐르는 그 땅을 분명히 우리에게 주실 것입니다. 저희는 가나안 사람들이 두렵지 않습니다. 그들을 이길 수 있습니다!"

"으음……."

모세는 아무 말도 하지 않았다. 다만 오랫동안 무엇인가를 생각했다.

한편 백성들은 어리석은 열 명의 보고를 듣고는 걱정했다.

"우리가 장대같이 커다란 사람들을 어떻게 상대할 수 있겠소?"

"가나안 땅이 아무리 좋아도 우리가 얻기에는 희생이 너무 크오!"

모세와 여호수아, 갈렙은 반대하는 목소리에 좌절하지 않고 백성들을 격려했다.

"여기까지 와서 돌아갈 수는 없다. 하나님이 주신 땅이 바로 눈앞에 있다. 어서 가자!"

하지만 사람들은 이전보다 더 불평을 하기 시작했다.

"이제 더 이상은 고생하기 싫소!"

"가나안 사람들과 싸우느니 차라리 다시 애굽으로 돌아가 그들의 노예가 되겠소!"

모세는 히브리 인들의 마음을 돌이킬 수가 없었다. 하나님은 히브리 인들의 신앙 없는 모습을 보았다. 그리고는 가나안 땅을 그들에게 바로 주시지 않았다. 히브리 인들로 하여금 에돔 동쪽으로 올라가 모압을 지나게 했다. 가나안 땅으로 바로 가지 않고 돌아가게 한 것이었다. 애굽에서 가나안까지는 먼 거리가 아니었다. 하지만 가나안 땅까지 가는 데

40년이 걸리게 했다. 하나님을 불신했기 때문이다. 하나님은 애급을 떠난 많은 사람들을 사막과 들, 산에서 죽게 했다. 그리고 새로 태어난 사람과 여호수아와 갈렙만이 가나안 땅으로 들어가게 했다.

새로운 지도자 여호수아

세월이 흘러 모세는 자기가 물러나야 할 때임을 깨달았다. 그리고 자기의 후계자로 여호수아를 세웠다. 그리고는 네보 산으로 올라가서 혼자 죽었다. 나중에 사람들이 그의 시체를 찾으러 산에 올라갔지만 모세의 시체는 찾을 수 없었다. 아무리 샅샅이 산을 뒤져도 모세의 시체는 나오지 않았다. 이제 여호수아는 모세의 후계자가 되어 가나안을 정복해야 하는 막중한 임무를 맡게 되었다.

여호수아는 가나안 땅에 가기까지 많은 민족들과 싸웠다. 여호수아의 용맹성과 지혜로 어려움 없이 히브리 민족이 승리할 수 있었다. 히브리인들의 전투 실력은 온 천하에 소문이 났다. 다른 민족들은 히브리 인이 쳐들어올까 늘 노심초사였다. 여러 민족을 차례로 평정하고 점점 가나안 땅 가까이 갔다. 가나안을 정벌하기 위해서 히브리 인들이 첫 번째로 점령할 곳은 여리고 성이었다. 여호수아는 모세가 자기를 가나안에 정탐꾼으로 보낸 것처럼 자기도 정탐꾼을 여리고 성에 보냈다.

정탐꾼은 여리고 성을 나흘 동안 살폈다. 그런데 여리고 성의 임금이 정탐꾼이 온 것을 알게 되었다. 여리고 성의 모든 군인들은 총동원되어 히브리 인의 정탐꾼을 찾았다.

정탐꾼들은 이 사실을 알고 어느 집으로 숨어 들어갔다. 그 집은 기생 라합이라는 여자가 살고 있었다. 그런데 뜻밖에도 여자는 정탐꾼을 보고 반가워했다.

"나는 히브리 인들의 소문을 들었습니다. 여리고 사람들은 당신들이 올까 봐 두려움에 떨고 있습니다. 나는 당신들이 믿는 하나님이 얼마나 위대한 신인지 믿습니다. 그러니 나중에 여리고 성에 쳐들어왔을 때, 내가 우리 집과 가족, 친척집에 붉은 표를 달아 놓을 테니 그 집 사람들은 해치지 말아 주십시오."

"알았다. 우리 하나님의 이름으로 약속하마!"

그 때 기생 라합의 집 대문을 두드리는 소리가 났다.

"쾅! 쾅! 쾅!"

라합은 얼른 정탐꾼들을 숨겨 주었다. 그리고는 문 쪽으로 갔다.

"무슨 일이십니까?"

"여기 히브리 인 정탐꾼이 들어갔다는 소식을 듣고 왔다. 그들이 여기 있느냐?"

"조금 전까지 여기에 숨어 있다가 문 두드리는 소리에 놀라서 서쪽으로 도망쳤습니다. 얼른 가시면 그들을 붙잡을 수 있을 것입니다."

라합은 거짓말을 했다. 군인들은 라합의 말이 끝나기도 전에 서쪽을 향해 달려갔다. 그렇게 해서 정탐꾼들은 무사히 돌아올 수 있었다.

돌아온 정탐꾼들에게 여호수아가 물었다.

"그래 여리고 성의 동태가 어떠하더냐?"

"예, 그들은 우리가 오는 것을 아주 두려워하고 있습니다."

"그래, 그런 상태라면 문제 없다."

하지만 한 가지 고민이 생겼다. 여리고 성이 너무 견고하게 지어져서 그 성을 무너뜨리는 것이 어려웠다. 성을 통과하지 않으면 여리고를 정벌할 수 없었다.

'어떻게 해야 좋을까?'

여호수아는 매일매일 여리고 성을 어떻게 하면 무너뜨릴 수 있을까로 고민하며 하나님께 기도했다. 하나님은 방법을 가르쳐 주셨다. 여호수아는 다음 날 히브리 인들을 줄을 세웠다. 그리고는 여리고 성을 한 바퀴 돌게 했다. 맨 앞에는 하나님께서 모세에게 주신 십계명과 아론의 싹 난 지팡이와 만나가 들어 있는 법궤를 맨 일곱 명의 제사장이 섰다. 제사장들은 양의 뿔피리를 불었다. 백성들은 제사장을 따라 여리고 성을 돌았다. 이렇게 6일을 돌았다.

"도대체 뭐하는 거야?"

"그러게 말야. 싸울 생각은 안하고 매일매일 여리고 성을 돌기만 하니 말이야."

"별 걱정을 다하는구려. 우리의 지도자 여호수아가 하나님의 음성을 들은 것이 있으니 이렇게 하지 않겠어? 아마 분명히 무슨 까닭이 있을 거야!"

7일째 되는 날, 여호수아가 백성들에게 말했다.

"오늘은 여리고 성을 일곱 번 돈다. 그리고 내가 신호를 보내면 다같이 가장 큰 목소리로 함성을 질러라."

히브리 인들은 여호수아가 시키는 대로 했다.

한 바퀴, 두 바퀴, 세 바퀴……. 아무 일도 일어나지 않았다. 단단한 성은 조금도 꿈쩍하지 않았다. 하지만 여호수아가 시키는 대로 계속 돌았다. 네 바퀴, 다섯 바퀴, 여섯 바퀴, 그리고 마지막 일곱 바퀴.

잠시 정적이 흘렀다. 그 때 여호수아가 큰 소리로 외쳤다.

"시작하라!"

제자장들은 들고 있던 양 뿔피리를 일제히 불었고, 백성들도 있는 힘껏 큰 소리를 질렀다.

"와! 와! 와!"

잠시 후 '우르르 쾅!' 하며 견고하던 성이 와르르 무너졌다. 히브리 인들은 이 광경에 더욱 신이 나서 함성을 질렀다.

여리고 사람들은 갑자기 성이 무너져서 정신을 차리지 못했다. 이 때 히브리 인들이 달려와 여리고 사람들의 재산을 빼앗고 목숨을 앗아갔다. 여리고 사람들은 한순간에 목숨을 잃었고 삶의 터전을 잃어버렸다. 그러나 붉은 표시를 해 둔 라합의 집만은 구원을 얻었다.

여리고 성은 가나안 땅에서 첫 번째로 히브리 인이 얻은 성읍이었다. 그 후 여호수아는 차례차례 가나안 땅의 성읍들을 무너뜨리고 가나안 땅을 차지했다. 하나님이 여호수아와 히브리 인들과 함께했기에 가나안 근방 모든 민족들이 그들을 두려워했고 여호수아의 명성이 계속해서 퍼져 나갔다.

가나안 땅을 차지한 여호수아는 그 넓은 땅을 히브리 인들에게 골고루 나누어 주었다. 오랫동안 정착할 땅을 찾아 떠돌던 히브리 인들이 마침내 그들의 땅을 얻게 된 것이다. 그리고 그 땅을 옛 조상 야곱에게 주셨던 이름인 이스라엘이라고 불렀다.

사사들이 다스리던 시대

가나안 정복의 영웅인 여호수아가 죽고 여호수아와 함께 가나안을 정벌했던 세대들도 모두 세상을 떠났다. 그리고 가나안 땅에는 애굽의 생활을 전혀 모르는 새로운 사람들이 태어났다. 하나님과 점점 멀어진 그들은 하나님을 섬기지 않고 가나안의 풍습에 빠졌고 가나안의 사람들이 믿는 아스다롯과 바알을 섬겼다. 이렇게 이스라엘 인들이 하나님을 떠나게 되자 하나님은 가나안 주변에 있는 족속들로 하여금 이스라엘 인을 괴롭히게 했다. 그리고 사사들을 보내어 이스라엘 인들의 역사에 개입했다.

사사는 하나님에게 능력을 받은 사람들이었다. 그들은 이스라엘 인들이 죄를 저지르면 하나님의 이름으로 그들에게 회개할 것을 촉구했고 바로 살도록 가르쳤다.

처음으로 사사가 된 사람은 웃니엘이다. 그는 유대의 국경 지방에서 바빌로니아 군을 밀어 내고 40년 동안을 다스렸다. 웃니엘이 죽자 이스라엘 인들은 이웃 나라 처녀들과 결혼을 하고 그 아내가 믿는 신을 믿었다. 따라서 사람들의 마음은 점점 하나님과 멀어지게 되었다.

한편 이스라엘 인에게 땅을 빼앗긴 모압과 아몬, 아말렉 인들이 힘을 합해 쳐들어왔다. 준비가 되어 있지 않던 이스라엘 인들은 땅을 빼앗기고 결국 20년 동안 모압 왕의 종 노릇을 하게 되었다.

이런 노예 생활에서 벗어나게 해 준 사람은 에훗이었다.

에훗은 왼손잡이였다. 에훗은 웃옷에 작은 칼을 숨기고 모압 왕을 찾아갔다. 왕을 지키는 경비병들이 에훗의 몸을 수색했다. 하지만 숨겨진 칼은 발견하지 못했다. 왕을 만난 에훗은 왕에게 간청했다.

"부디 저 혼자서 왕과 이야기하고 싶습니다."

왕은 에훗이 무슨 중대한 첩보라도 가르쳐 주러 온 것이라고 생각하고 곁에 있던 신하들을 물러가게 했다. 신하들이 물러간 순간, 에훗은 옷에서 칼을 꺼냈다. 왕은 깜짝 놀라 왕좌에서 벌떡 일어나 에훗을 저지하려고 했지만 무서운 속도로 내려꽂히는 칼을 막아 낼 수는 없었다. 결국 모압 왕은 에훗의 손에 죽게 되었다. 모압 왕이 죽었다는 소식을 들은 이스라엘 인들은 다시 힘을 모아 모압 사람들을 몰아 내었다. 그리고 그들의 지도자로 에훗을 세웠다. 그리고 이스라엘 인들은 에훗 이후에도 많은 사사들의 지도를 받으며 살았다. 잘못을 저지르면 땅을 빼앗기고 그 때마다 회개하고 마음을 돌이켜 다시 하나님께 돌아오면 땅을 되찾았다.

그러나 이스라엘은 시간이 지나자 또다시 하나님 앞에 악을 저질렀다. 하나님은 이번에는 미디안 족속과 아말렉 족속으로 이스라엘을 괴롭히게 했다. 그 때 나타난 사사가 기드온이다.

기드온과 300명의 용사

미디안과 아말렉 족속들은 잔인했다. 얼마나 사납고 무서웠던지 이스라엘 인들은 미디안 사람들의 그림자만 보아도 도망을 갔다. 그리고 어느 겨울에는 산 속에서 꽁꽁 숨어 나오지 않았다. 이스라엘 사람들은 산 속에 굴을 만들어 놓고 거기서 살며 마을에 내려오지 않았다. 더러는 산에 올라가지 않고 평야에 사는 사람들도 있었다. 그들이 봄에 씨앗을 뿌려 가을에 곡식을 거두려고 하면 미디안 사람들이 곡식을 약탈해 갔다. 그리고 그들이 키운 양, 소, 나귀도 빼앗아 갔다.

이스라엘 사람들은 미디안 족속으로 인해 7년을 고생하자 하나님께 부르짖어 기도했다. 그 때 하나님이 선택한 사람이 기드온이었다.

기드온은 요아스의 아들이었다. 요아스와 기드온은 미디안 사람 몰래 밀을 타작하고 있었다. 미디안 사람이 알면 밀을 모두 빼앗아 갈 것이 뻔했기 때문이다. 타작 마당에 있을 때 하나님의 천사가 기드온에게 내려왔다. 천사는 이렇게 말했다.

"큰 용사여! 하나님이 너와 함께하리라."

기드온이 대답했다.

"하나님이 우리와 함께 계신다면 왜 우리가 이렇게 미디안 사람들로부터 고통을 받아야 합니까? 이제 하나님은 우리를 버리셨습니다. 그래서 우리를 미디안 사람들 밑으로 들어가게 했습니다.”

“그렇지 않다. 하나님께서는 너를 통해 이스라엘 사람들을 구하고자 하신다.”

“나는 그럴 만한 사람이 못 됩니다.”

“기드온, 하나님은 언제나 너와 함께하신다. 그러니 아무 걱정하지 말아라.”

“내가 하나님께 정말로 은혜를 입은 사람이라면 그것을 믿을 수 있는 증거를 보여 주십시오.”

하나님의 천사는 바위에서 불을 내어 기드온이 준비한 음식을 태워 버리는 증거를 보여 주고 홀연히 사라졌다.

기드온은 너무나 기뻐 제단을 쌓고 그 이름을 ‘여호와 샬롬’이라고 지었다. 여호와 샬롬은 ‘하나님은 평강(평화롭고 강령함)이시다.’ 라는 뜻이다.

기드온이 천사를 만난 그날 밤, 하나님은 기드온에게 기드온의 아버지 요아스가 쌓은 바알의 제단을 헐어 버리라고 명령했다. 그리고 아세라 신상을 땔감으로 쓰고 수소를 번제로 드리라고 했다. 기드온은 모두 잠든 한밤중에 열 명의 종을 데리고 하나님의 명령에 따랐다.

다음 날 아침, 동네는 난리가 났다.

“도대체 어떤 놈이 이런 짓을 했느냐? 감히 우리 바알 님의 제단을 허물고 아세라 신상에 도끼 자국을 낸 놈이 누구냐?”

“아이고, 이제 큰일 났다. 우리 모두 바알 님의 저주를 받게 될 거야.”

사람들은 야단법석이었다. 그리고 범인을 찾으려고 애를 썼다. 결국 그들은 여호와 하나님을 믿는 기드온을 지목했다. 그리고는 요아스의 집으로 쳐들어갔다.

“기드온! 어서 나와라, 이놈!”

사람들의 무서운 기세에 놀라 요아스가 달려나왔다. 그러나 요아스는 오히려 사람들에게 큰 소리를 쳤다.

"여러분, 왜 바알 신을 대신해 당신들이 싸우려 하는 것입니까? 바알이 정말 살아 있다면 내 아들을 그냥 둘 것 같소? 바알 신이 직접 기드온을 어떻게 하는지 가만히 지켜봅시다."

요아스의 말을 들으니 그럴 듯도 했다. 그래서 사람들은 고개를 끄덕이며 모두 돌아갔다.

며칠이 지나도 기드온에게 큰 탈이 없었다. 결국 사람들은 바알을 믿는 것이 아무런 소용이 없다는 것을 알게 되었다. 그 때부터 사람들은 기드온의 별명을 '여룹바알'이라고 했다. 여룹바알은 바알과 겨루어 승리한 사람이라는 뜻이다.

미디안 사람들은 기드온이 바알 제단과 아세라 신상을 부수어 버렸다는 소문을 들었다. 그리고 자신들과의 전쟁을 치르기 위해 준비하고 있다는 소식도 들었다. 미디안은 이스라엘을 대적하기 위해 아말렉 및 근방 민족들과 연합군을 형성한 뒤, 요단 강을 건너 이스라엘에 들어와 진을 쳤다.

미디안 연합군이 바로 코앞에 진을 치고 때를 기다리고 있다는 소식을 들은 기드온은 그들의 군사가 많다는 것에 걱정이 되었다. 기드온은 두려운 마음이 들었다. 자신감을 갖기 위해 기드온은 하나님께서 함께하신다는 증거를 보여 달라고 기도했다.

"하나님, 저를 통해 이스라엘을 구하시려거든 이 양털 위에만 이슬이 내리고 땅은 말라 있게 해 주십시오."

다음 날 아침, 떨리는 마음으로 마당에 나가 보니 주위의 땅은 말라 있었는데 양털만은 촉촉이 젖어 있었다. 그런데도 기드온은 여전히 두려웠다. 그래서 다시 하나님께 증거를 구했다.

"하나님, 한 번만 더 표적을 보여 주십시오. 이번에는 양털만 마르고 땅에는 이슬이 있게 해 주십시오."

다음 날 아침, 양털에는 물기가 하나도 없는데 땅은 이슬에 젖어 있었다. 기드온은 그제서야 자신감을 갖고 싸울 준비를 했다.

자신감을 가진 기드온은 군대를 이끌고 하룻샘 곁에 진을 쳤다. 전운이 감도는 긴장감 속에 하나님이 기드온에게 나타나 말씀하셨다.

"군대가 너무 많다. 3만2천 명의 군대가 싸워 이긴다면 너희들 스스로 강해서 이겼다고 생각할 것이니 그 수를 줄여라."

"하나님, 말도 안 됩니다. 지금 우리 군대는 저들의 3분의 1도 안 됩니다. 그런데 사람들을 돌려보내라고요?"

"그렇다. 지금이라도 집으로 돌아가길 원하는 자들은 돌려보내라."

기드온은 하나님의 명령에 따라 하는 수 없이 전쟁이 두려운 사람들은 집으로 돌아가도 좋다고 했다. 그 결과 2만2천 명의 군사들이 집으로 돌아갔다. 남은 자는 만 명뿐이었다. 그런데 하나님은 일만 명도 많으니 병사들을 냇가로 데리고 가서 물을 마시게 했다.

목이 말랐던 병사들은 물가에 이르자 정신 없이 물을 마셨다. 대부분의 병사들이 냇가에 얼굴을 파묻어 엎드린 채 물을 마셨다. 그런데 병사들 중에는 손으로 물을 떠서 마시면서 눈으로 주변을 두리번거리며 적군의 동태를 살피는 이들이 있었다. 하나님은 기드온에게 손으로 물을 떠서 마신 병사들만 남기고 나머지는 다 돌려보내라고 했다. 결국 남은 병사는 3백 명뿐이었다.

하나님의 명령에 수긍하기 어려운 기드온에게 하나님이 말했다.

"기드온아, 두려워하지 말아라. 내가 3백 명의 군사로 승리를 안겨 주겠다."

기드온은 3백 명의 군사들에게 여러 가지 주의를 주었다. 그리고 양의 뿔피리와 횃불을 하나씩 주며 횃불을 항아리 속에 감추라고 했다.

한밤중이 되어 기드온은 병사들을 이끌고 미디안 사람들이 있는 곳으로 갔다.

드디어 기드온이 명령을 내렸다.

"공격하라!"

그러자 병사들이 뿔피리를 불어 대었다.

"뿌뿌뿌!"

그리고 횃불이 든 항아리를 깨뜨렸다.

"쨍그랑! 와장창!"

3백 개의 항아리가 일제히 깨지는 소리는 무척 요란했다. 그리고는 횃불이 그 모습을 드러내었다.

군인들이 소리쳤다.

"와아!"

사면에서 외치는 소리에 적들은 큰 군대에 포위당했다고 생각하고는 우왕좌왕하며 정신을 차리지 못했다. 갑작스러운 습격에 혼비백산한 미디안 군인들은 자기 편끼리 서로 공격해 찌르고 죽였다. 그리고 앞다투어 도망을 갔다. 이스라엘 병사들은 도망가는 적들을 쫓기만 하면 됐다. 전투가 끝났을 때 죽은 미디안 병사는 12만 명이나 되었다.

미디안과의 전쟁을 승리로 이끈 기드온은 이스라엘의 영웅이 되었다. 싸움을 큰 승리로 이끈 기드온은 나라를 이끌어 갈 사사로 뽑혔다. 그리고 오랫동안 이스라엘 인들을 다스렸다. 하지만 안타깝게도 지도자가 된 기드온은 교만해졌다. 그리고 많은 아내를 얻어 아들만 70명을 두었다. 기드온의 타락으로 이스라엘은 다시 어려움에 빠졌다.

천하장사 삼손

기드온이 죽자 아들들은 서로 자기가 아버지의 후계자가 되겠다고 싸웠다. 결국 아비멜렉이 후계자가 되었다. 그리고 스스로 왕이 되었다. 아비멜렉은 혹시 형제들이 자기의 자리를 빼앗을지 모른다고 생각하고 형제들을 모두 죽여 버렸다. 사람들은 아비멜렉의 포악성을 맹렬히 비난했다. 하지만 아비멜렉은 그 사람들을 돌탑으로 끌어 내 모아 놓고는 불에 태워 죽였다.

이런 일이 반복되었는데, 한번은 아비멜렉이 자기의 반대자들을 모아 놓고 죽이려고 장작더미에 불을 붙이려고 할 때 한 여자가 아비멜렉을 향해 돌을 던졌다. 아비멜렉은 여자가 던진 돌에 맞아 머리가 깨졌다. 그 돌은 치명적이었다. 아비멜렉은 직감적으로 그 돌로 자기가 죽을 것을 알고 부하에게 명령을 내렸다.

"어서 네 칼을 뽑아 나를 찔러라."

아비멜렉이 그렇게 명령한 것은 여자에게 죽었다는 소리를 듣는 것이 수치라고 여겼기 때문이다.

이렇게 아비멜렉이 죽었다. 하지만 이스라엘을 다스릴 만한 사람은 없었다. 그 반면에 이웃 나라와의 싸움은 더욱 심해졌다. 또한 이스라엘 사람들끼리도 자주 싸웠다. 그러다 입다라는 사사가 나타난 이후 이스라엘은 다시 평화를 찾을 수 있었다.

그러나 그 평화도 오래 가지 못했다. 다시 블레셋 사람들이 자꾸 이스라엘을 침범했다. 결국 이스라엘 사람들은 블레셋 사람들 밑에서 40년을 살아야 했다.

소라라는 동네에 마노아라는 사람이 살고 있었다. 마노아는 이스라엘이 블레셋에게서 해방되어 평화로운 세상이 오기를 기다렸다. 어느 날, 마노아의 아내가 꿈을 꾸었다. 꿈 속에 천사가 나타나 말해 주었다.

"이제 당신은 아기를 낳을 것이다. 그 아기가 자라면 포도주나 독한 술을 주지 말라. 마시게 하지도 말라. 또 그 아이의 머리도 자르지 말아라. 그 아기는 커서 하나님의 큰 일을 하게 될 나실인(하나님께 헌신하고 봉사하기 위해 구별된 자)이기 때문이다. 그리고 그 아이는 너희 이스라엘 사람들을 블레셋으로부터 해방시켜 줄 것이다."

마노아는 아들을 낳아 이름을 삼손이라고 지었다. 삼손은 어려서부터 유난히 힘이 세었다. 한 번도 깍지 않은 머리는 허리까지 닿았다. 머리에 햇빛이 닿을 때마다 삼손의 머리는 반짝거리며 윤이 났다.

어느덧 청년이 된 삼손은 딤나라는 동네에 내려갔다가 한 여자를 사랑하게 되었다. 삼손은 부모에게 그녀와의 결혼을 허락해 달라고 청했다. 하지만 삼손의 부모는 그 여인이 이방 여인이라는 것을 알고 반대했다. 하나님께서는 이스라엘이 우상 숭배에 빠지는 것을 막고자 일찍부터 율법을 통해 이스라엘과 이방인과의 결혼을 금지했기 때문이다. 더욱이 삼손은 하나님이 선택한 사람이었기에 더욱 이방인과의 결혼을 허락하지 않았다.

"안 된다! 내 눈에 흙이 들어가기 전에는 절대로 안 된다."

그러나 자식을 이기는 부모가 없듯이 삼손의 부모는 삼손의 고집을 꺾지 못하고 결국 결혼을 허락했다. 삼손은 결혼을 하러 딤나로 신나게 내려갔다. 내려가는 도중 삼손은 포도원 앞에서 사자 한 마리를 만났다.

그러나 하나님의 능력에 힘입어 삼손은 으르렁거리는 사자를 한 손에 때려눕혔다.

결혼식 날, 많은 블레셋 청년들이 왔다. 잔치의 흥이 한껏 올랐을 때 삼손은 그 곳 청년들에게 수수께끼를 냈다.

"자, 지금부터 내가 수수께끼 하나를 낼 테니 잘 들어 보아라. 너희들이 이것을 풀면 내가 베옷 30벌과 겉옷 30벌을 주지! 하지만 맞추지 못하면 너희들이 그것들을 나에게 주어야 해. 기한은 일주일이다."

"좋아. 어서 내 보라구!"

"먹는 것에서 먹는 것이 나오고 강한 것에서 단 것이 나왔다. 이게 뭐라고 생각하느냐?"

청년들은 머리를 짜내며 생각했지만 그 답을 알 수 없었다. 7일째 되는 날 매우 다급해져서 그들은 삼손의 아내를 협박했다.

"네 남편이 낸 수수께끼는 우리가 도저히 풀 수가 없으니 삼손을 꾀어 답을 알아 내라! 그렇지 않으면 너희 집에 불을 지를 거야!"

그들의 협박에 새파랗게 질린 삼손의 아내는 결국 삼손에게 수수께끼의 정답을 물어 보았다. 하지만 삼손은 말해 주지 않았다.

"삼손, 당신은 나를 사랑하지 않는군요. 그까짓 수수께끼 답 하나 가르쳐 주지 않고…… 흑흑흑!"

결국 삼손은 아내에게 강한 것은 사자이고 단 것은 꿀이라고 알려 주었고, 그 비밀은 블레셋 청년들에게 들어갔다. 결국 수수께끼에서 삼손이 졌다. 아내 때문에 수수께끼에 진 것을 안 삼손은 화가 머리끝까지 나서 아내를 버려 두고 혼자 집으로 돌아와 버렸다.

얼마나 시간이 흘렀을까. 삼손은 딤나에 두고 온 아내 생각이 났다. 그는 사과할 마음으로 염소 한 마리를 갖고 아내를 찾아갔다. 그러나 아내는 삼손이 자기를 완전히 버린 줄 알고 다른 사람에게 시집을 가 버렸다.

화가 난 삼손은 여우 300마리를 잡아 그 꼬리를 함께 묶고 횃불을 붙여 블레셋 사람들의 밭으로 내몰았다. 뜨거워서 어쩔 줄 모르던 여우들은 이리저리 넓은 들판을 마구 누비고 다녔다.

잘 마른 보리에도 불이 붙었다. 불은 활활 타면서 포도밭까지 번져 포도나무를 모두 태워 버렸다. 그리고 올리브 나무숲도 태웠다. 그 난리에 블레셋 사람들이 농사지은 곡식단과 추수할 곡식이 모두 불타 없어져 버렸다.

성난 블레셋 사람들은 그 원인이 삼손의 아내가 다른 데로 시집간 것이라며 삼손의 장인 집으로 몰려가 불을 질렀다. 그 집 사람들은 모두 불에 타 죽었다. 삼손의 아내도 함께 죽었다.

이 소식을 들은 삼손은 다시 블레셋으로 내려가 복수를 했다. 수많은 블레셋 사람들이 삼손에게 목숨을 잃었다. 속수무책으로 삼손에게 당한 블레셋 사람들은 분통이 터졌다. 그들은 삼손을 없앨 방법을 찾았다. 그리고 군대를 이끌고 삼손을 찾아 이스라엘로 쳐들어갔다. 이스라엘 사람들을 죽이고 가축을 죽이고 농사지은 것들을 빼앗아 갔다.

"도대체 왜들 그러시오?"

이스라엘 사람들이 블레셋 사람들에게 물었다.

"우리가 원하는 것은 삼손이오. 삼손만 우리 손에 넘겨 주면 당신들을 괴롭히지 않겠소."

결국 삼손은 이스라엘 사람들을 위해 스스로 블레셋 사람들에게 가서 결박을 당했다.

"와! 와! 와!"

결박을 당한 삼손을 본 블레셋 사람들의 환호성에 땅이 진동을 했다. 이 때 하나님의 신이 삼손에게 닿았다. 삼손을 묶고 있던 포승이 힘없이 끊어졌다. 삼손은 옆에 있던 나귀의 턱뼈를 가져다가 천 명이 넘는 블레셋 장정들을 모조리 때려눕혔다.

이 싸움 이후에 이스라엘은 삼손을 하나님께서 주신 사사로 세웠다. 삼손은 20년 동안 이스라엘의 사사가 되어 나라를 잘 다스렸다.

세월이 흘러 삼손은 들릴라라는 블레셋 여인을 사랑하게 되었다. 그 사실을 안 블레셋 사람 다섯 명이 들릴라를 찾아와서 협상을 했다.

"삼손의 힘이 어디서 나오는지 일러만 준다면 그 대가로 우리 한 사람씩 은전 1천백 개를 주겠다!"

"그럼 모두 은전 5천5백 개를 준다는 거네요. 예, 좋아요. 내가 삼손의 힘이 어디에서 나오는지 알아 내 드리겠어요."

들릴라는 부자가 될 수 있는 아주 좋은 기회라고 생각했다. 그날 밤, 들릴라는 삼손을 붙잡고 애교를 떨었다.

"삼손, 당신은 어쩜 그렇게 힘이 센가요. 당신은 너무 멋있어요. 그 놀라운 힘은 도대체 어디서 나오는 거예요?"

"글쎄 어디서 나오는지는 모르지만 그 힘을 없애는 방법은 있지."

"그게 뭔가요?"

"마르지 않은 칡덩굴 일곱 가닥으로 나를 묶으면 당장 기운이 빠져 버리지."

그날 밤, 블레셋 사람들이 와서 잠자는 삼손을 칡덩굴로 묶었다. 하지만 다음 날 아침 삼손이 '으아아아!' 하며 기지개를 펴자 칡덩굴 줄은 '우두둑!' 하고 끊어져 버렸다.

아내는 다시 아양을 떨며 물었다. 하지만 삼손은 그 때마다 들릴라에게 엉뚱하게 대답했다.

"삼손, 당신은 나를 사랑하지 않는군요. 세 번이나 나를 속이다니…….

난 정말 당신을 사랑하는데……. 흑흑흑!"

여자의 눈물에 마음이 약해진 삼손은 자신의 힘이 어디에서 나오는지를 말해 버렸다.

"울지 마오. 들릴라. 나도 당신을 진정으로 사랑한다오. 나의 힘은 머리카락에서 나온다오. 나는 지금까지 머리를 자른 적이 없소. 내 머리를 자르면 나는 힘을 잃는다오."

들릴라는 이 소식을 블레셋 사람들에게 알려 주었고 블레셋 사람들은 삼손이 잠들었을 때 와서 그의 머리카락을 잘라 버렸다. 잠에서 깨어난 삼손은 들릴라에게 속았음을 알았지만 이미 때는 늦었다. 이미 힘을 잃었기에 손을 쓸 수가 없었다. 블레셋 사람들은 삼손의 두 눈을 뽑고 자신들의 노예로 만들었다. 삼손은 맷돌 가는 일을 했다.

삼손은 견디기 힘든 고통의 시간을 보냈다. 그러나 희망은 있었다. 그것은 바로 삼손의 머리털이 다시 자라기 시작한 것이다. 삼손은 맷돌을 돌리면서 자신이 지은 죄를 회개했다.

한편 삼손을 이긴 블레셋 사람들은 이를 축하하기 위해 그들이 믿는 우상신인 다곤 신전에 모여 성대한 잔치를 벌였다. 잔치의 분위기가 절정에 이르렀을 때 블레셋 사람들은 삼손을 감옥에서 끌어 냈다. 그리고 삼손의 비참한 모습을 즐기며 조롱했다.

"삼손! 사자를 한손에 때려눕혔던 그 힘은 다 어디로 갔지?"

"자, 이 많은 사람들 앞에서 네 힘을 보여 보라구!"

"하하하! 천하의 삼손도 이젠 별 수 없구먼!"

삼손은 블레셋 사람들 앞에서 갖은 수모와 조롱과 멸시를 받았다. 다곤 신전 두 기둥에 몸을 기댄 삼손은 울부짖으며 하나님께 기도했다.

"하나님, 저에게 한번만 더 힘을 주십시오. 그래서 하나님을 조롱하는 저 블레셋 사람들에게 원수를 갚게 해 주십시오. 저는 블레셋 사람들과 함께 죽어도 좋습니다."

하나님은 삼손의 기도를 들어주셨다. 다시 힘을 얻은 삼손은 다곤 신전 두 기둥에 손을 갖다 대고 힘껏 힘을 주었다. 그리고 두 손으로 기둥을 밀었다.

"블레셋 사람들을 무너뜨려 주소서. 이스라엘을 해방시켜 주소서!"

그 순간 다곤 신전의 돌기둥이 빠지면서 지붕이 와르르 무너졌다. 신전 안에 있던 사람들은 도망도 가지 못한 채 무너진 돌더미에 깔려 죽었다. 무너진 돌기둥 밑에는 삼손도 있었다. 삼손의 마지막 힘으로 다곤 신전에서 삼손을 이겼다고 축하 잔치를 벌이던 블레셋 사람 3천 명이 그 자리에서 죽었다.

이스라엘의 첫 번째 왕 사울

삼손이 죽고 나서 얼마 후 이스라엘에는 훌륭한 지도자가 생겼다. 그의 이름은 사무엘이었다. 사무엘은 어려서부터 하나님의 음성을 들을 수 있었다. 하나님은 사무엘을 통해 이제 사사가 다스리는 시대가 아닌 왕이 다스리는 시대가 올 것이라고 말씀하셨다. 이스라엘 사람들은 이 말을 듣고 뛸 듯이 기뻐했다.

"우리도 드디어 나라를 건설하게 되는구나!"

"우리 이스라엘도 이젠 왕이 생기는 거라구!"

"어느 민족도 우리를 깔보지 못할 거야!"

사무엘은 일을 미루는 사람이 아니었다. 하나님이 왕을 세운다는 그 말을 듣고 나서 사무엘은 왕이 될 만한 인물을 찾았다. 사무엘은 기브아라는 마을에서 왕이 되기에 적합한 사람을 찾았다. 그의 이름은 사울이었다. 사무엘이 어린 사울을 만난 것은 우연한 일이었다.

어느 날, 사울의 아버지 기스는 자기 집 나귀가 없어진 것을 알았다. 그래서 사울에게 나가서 나귀를 찾아오라고 심부름을 시켰다. 어린 사울은 마을 구석구석을 찾았지만 나귀는 보이지 않았다. 이웃 마을까지 가서 찾았지만 소용이 없었다. 만나는 사람들에게 나귀를 보았느냐고 물어 보았지만 아무도 보지 못했다고 했다.

'그래, 사무엘 사사님을 찾아가면 우리 집 나귀가 어디에 있는지 말해 주실지도 몰라!'

사울은 사무엘을 찾아갔다. 사무엘은 사울의 얼굴을 보자마자 직감적으로 그가 이스라엘의 왕이 될 것을 알았다. 그리고 사울에게 자기의 생각을 이야기했다. 사울은 그 말에 너무 놀랐다. 자기는 유대 12 지파 중에서 가장 작은 지파인 베냐민 지파의 사람이었다. 사울은 자기는 왕이 되기에 부족한 사람이라고 말하며 사무엘의 요청을 거절했다. 사무엘은 밤이 새도록 사울을 설득했다.

동이 튼 다음 날 아침, 사무엘은 사울을 데리고 백성들 앞에 섰다.

"여기들 보시오! 이 사람이 하나님께서 우리에게 내려주신 이스라엘의 첫 번째 왕이오."

이스라엘 사람들은 환호성을 질렀다.

'첫 번째 왕은 우리 지파에서 나왔어야 했는데……'

하며 질투하는 사람은 아무도 없었다. 누가 보더라도 사울의 외모는 준수했고 키도 컸기에 모두들 왕이 되기에 충분한 인물이라고 생각했다.

왕이 된 사울 왕은 무척 바빴다. 보잘것없는 군사력을 키워야 했고 이방인들에게 빼앗긴 영토도 되찾아야 했다. 또 새로운 무기도 만들어야 했다.

블레셋 사람들은 주변에서 가장 강력한 무기를 갖고 있었다. 그들은 철기로 무기를 만들었으므로 날카롭고 그 위력이 좋았다.

사울은 차근차근 나라를 정비해 나갔고 국경 지역에 있는 이민족들을 쳐부수었다. 덕분에 이스라엘은 안정을 찾았다. 사람들은 사울을 자랑스러워했다.

"역시 이스라엘의 왕을 잘 뽑았어."

이렇게 성실하게 나라를 이끌어 가던 사울이었지만 시간이 지나면서 교만한 마음이 싹트기 시작했다. 그리고 왕으로서의 위엄을 잃어버리는 조급함까지 생겼다. 그 결과 무엇을 결정할 때 하나님을 의지하기보다는 자신의 생각을 존중했다. 그래서 하나님의 법이 아닌 자기의 생각대로 나라를 다스려 나갔다. 그러다가 하나님의 마음이 사울에게서 완전히 떠나게 되는 사건이 발생했다.

사울의 군대와 블레셋 군대와의 전투가 벌어질 위기에 놓였다. 블레셋 군사는 막강했다. 그 막강한 군사력에 이스라엘 사람들은 벌벌 떨었다. 사울은 마음이 조급했다. 전쟁을 앞두고 하나님께 예배를 드려야 했는데 예배를 진행할 사무엘이 오지 않았기 때문이다. 8일을 기다렸지만 사무엘은 오지 않았다. 사무엘이 오지 않자 이스라엘 사람들은 사울에게서 마음이 떠나가기 시작했다. 결국 급한 마음에 사울은 제사장이 해야 할 번제를 자신이 드렸다. 번제는 왕이 할 수 있는 일이 아니라 하나님의 종인 제사장만이 할 수 있는 일이었다. 그 사실을 안 사무엘은 사울에게 말했다.

"하나님께서 왕을 버리셨습니다. 이제 당신이 이끄는 나라는 오래가지 못할 것입니다. 이스라엘은 새 왕을 세울 것입니다. 하나님께서는 그의 맘에 맞는 새 왕을 뽑으시고 그를 지도자로 세우실 것입니다."

그 때부터 사울의 정신은 이상해지지 시작했다. 잠을 제대로 자지 못했고 늘 불안에 떨었다.

떠오르는 태양 다윗

하나님은 사무엘에게 말씀하셨다.

"사울 대신 내가 새 왕을 뽑으리라. 너는 감람기름을 가지고 베들레헴에 사는 이새라는 사람의 집으로 가거라. 그의 아들 중 한 명을 이스라엘의 왕으로 뽑겠다."

사무엘은 하나님의 명령을 좇아 이새의 집을 찾았다. 그리고 이새에게 이 사실을 알리고 아들들을 보여 달라고 했다. 이새는 아들 일곱을 차례로 보여 주었다. 하지만 사무엘이 생각하기에 왕이 될 만한 아들은 없었다. 사무엘은 이새에게 말했다.

"아들이 또 없느냐?"

"다윗이라는 녀석이 있긴 한데……. 별 볼일 없는 녀석입니다. 양이나 칠 줄 아는 목동에 지나지 않습니다."

"하나님은 사람을 외모로 판단하는 분이 아니시다. 어서 가서 아들을 데리고 오라. 데리고 올 때까지 여기서 기다리겠다."

그 시간 다윗은 냇가에서 양들을 풀어놓고 풀을 뜯어 먹게 하고 있었다. 그리고 하프를 켜고 노래를 불렀다. 그것도 지루하면 다윗은 시냇가의 조약돌을 집어 물매(나무에 달린 과실 따위를 떨어뜨리려고 던지는 몽둥이)에 달아 과녁을 정해 놓고 힘있게 던졌다. 그러면 그 조약돌은 하늘을 날아 정확하게 목표물에 적중했다. 다윗은 물매로 무엇이든 마음 먹은 것은 맞출 수 있었다.

다윗이 물매에 조약돌을 달아 과녁을 향해 맞추고 있을 때 형이 달려왔다.

"다윗! 어서 집으로 가 봐! 사무엘 제사장이 널 기다리고 있어."

다윗은 사무엘이 자기를 찾는 이유를 알지 못하고 집으로 달려왔다.

'무슨 일일까?'

다윗은 사무엘 제사장이 두려워졌다.

'내가 하나님께 잘못한 것이라도 있나……?'

사무엘은 숨을 헐떡이며 들어온 다윗을 보자마자 그가 하나님께서 말씀하신 왕이 될 인물이라는 것을 알아보았다. 그리고는 준비해 간 감람 기름을 다윗의 머리 위에 부었다. 다윗은 여러 형제에게 둘러싸여 기름 부음을 받았다.

"축하한다. 다윗! 하나님께서 너를 택하셨다."

한편 사울 왕은 하나님께서 이스라엘의 새 왕을 준비한다는 말에 마음이 편치 못했다. 항상 불안하였고 가슴이 두근거렸다.

"왕이시여! 마음이 평안하지 않을 때는 음악을 들으면 기분이 좋아진다고 합니다."

"그래, 그럼 어디 노래를 잘 하고 악기를 잘 다루는 사람이 있으면 데리고 오너라."

"예, 베들레헴이란 마을에 양을 치는 다윗이라는 목동이 있습니다. 그 소년이 노래도 잘하고 하프도 잘 켠다고 합니다. 그 소년을 데리고 오겠습니다."

그렇게 해서 다윗은 사울 앞으로 불려갔다. 사울은 다윗의 노래와 악기 다루는 솜씨에 감탄했다. 그가 하프를 켜고 노래를 부르면 마음이 편안해졌다. 그러나 다시 불안해지기 시작했다. 블레셋 사람들이 또다시 쳐들어왔기 때문이다. 이번에는 키가 아주 큰 골리앗이란 장군이 앞장을 서서 이스라엘을 쳐들어왔다. 그 장군의 키가 얼마나 큰지 아무도 그를 당해 낼 수가 없었다. 이스라엘은 전투마다 블레셋의 골리앗에게

패했다.

많은 사람들이 군인이 되어 블레셋에 대항하여 싸웠다. 다윗의 형들도 군인이 되어 싸움터로 나갔다. 하루는 들에서 돌아온 다윗에게 아버지 이새가 형들에게 도시락을 갖다 주고 오라고 했다. 다윗은 싸움터를 향해 떠났다. 싸움터로 가는 길에 다친 군인들을 많이 보았다. 다윗의 마음은 무거워졌다. 형들도 힘든 표정으로 쉬고 있었다. 형들은 다윗을 보더니 싸움터는 위험하다며 어서 집으로 돌아가라고 했다. 하지만 다윗은 싸움터를 떠나고 싶지 않았다. 그 때 블레셋의 골리앗 장군이 큰 소리로 외쳤다.

"야, 이스라엘의 겁쟁이들아! 그렇게 숨어 있지만 말고 어서 나와 나를 이겨 보아라. 하하하!"

다윗은 주먹을 불끈 쥐고 앞으로 나아갔다. 하지만 형들이 하도 말리는 바람에 그 날은 그냥 집으로 돌아왔다.

다음 날, 다윗은 사울 왕을 찾아갔다.

"왕이시여! 하나님을 모욕하는 블레셋 군인들과 싸우고 싶습니다. 허락해 주십시오."

"너는 너무 어리다. 그리고 그 거인은 싸움을 많이 해 본 사람이다. 너 같은 어린애는 상대해 주지도 않을 것이다."

하지만 다윗은 포기하지 않고 왕에게 허락해 달라고 했고, 사울 왕은 하는 수 없이 다윗에게 갑옷을 입혀 싸움터로 보냈다.

갑옷은 다윗에게 너무 무거웠다. 다윗은 갑옷을 벗어 버리고 조약돌 다섯 개와 물매만 가지고 싸움터로 나갔다.

골리앗은 키도 작고 얼굴도 아직 어린아이인 다윗이 자기를 상대하겠다는 말에 코웃음을 쳤다.

"이스라엘 장수들은 다 어디 갔느냐? 이런 애송이를 나한테 보내다니! 거기다 막대기 하나만 갖고 나오다니. 으하하하!"

다윗은 그런 골리앗을 향해 외쳤다.

"이 멀대같이 키만 커다란 놈아! 너는 칼과 창으로 나를 상대하지만 나는 살아 계신 하나님의 이름으로 싸운다. 오늘이 너의 제삿날인 줄 알아라."

그러더니 얼른 조약돌을 주머니에서 꺼내 물매에 얹어 던졌다. 조약돌이 휘이잉 소리를 내며 날아가 골리앗의 이마에 박혔다.

"어이쿠!"

골리앗은 정신을 차리지 못했다. 다윗은 또다시 조약돌을 던졌다. 조약돌은 쌩 하는 소리를 내며 눈 깜짝할 사이에 골리앗을 또 맞혔다. 골리앗은 그만 쿵 하고 쓰러졌다. 그러더니 일어나지도 못했다.

다윗은 쓰러진 골리앗에게 달려가 골리앗의 칼을 뽑아 그의 머리를 베었다.

"와! 와!"

이스라엘 군인들이 함성을 질렀다. 이 모습을 보고 놀란 블레셋 사람들은 정신 없이 자기네 나라로 도망갔다.

승전보를 들은 사울은 기분이 좋았다. 그래서 다윗과 그의 군사들을 마중나갔다. 백성들도 서로 얼싸안고 좋아했다. 그러면서 그들은 노래를 불렀다.

"사울은 수천을 죽였지만 다윗은 수만을 죽였네."

"사울은 천천이요, 다윗은 만만이라."

그 노래를 듣는 사울의 마음은 갑자기 어두워졌다. 그리고 불안해지기 시작했다.

'혹시 사무엘이 말한 새로운 왕이 다윗이 아닐까?'

그 때부터 사울 왕은 다윗을 미워했다. 그리고 다윗을 죽일 적당한 때를 노렸다. 이 사실을 알게 된 다윗의 친구 요나단은 다윗에게 도망가라고 일러 주었다. 요나단은 사울 왕의 아들이었지만 다윗을 사랑하는 친구였다.

다윗은 멀리 도망을 가서 한동안 그 곳에 숨어 있었다.

한편 사울은 불안한 마음을 전쟁으로 풀고자 했다. 사울은 군인들을 블레셋에 보내 전쟁을 치렀으나, 사울의 군사는 블레셋에 대패했다. 그리고 사울의 세 아들도 죽었다. 전쟁에서 졌다는 소식을 들은 사울은 스스로 목숨을 끊었다.

이 소식을 들은 한 사람이 다윗에게로 달려갔다. 그는 사울에 이어 다윗이 왕이 될 것을 알고 아부를 하려고 했던 것이다. 그리고 거짓말로 사울과 그의 아들들을 자기가 죽였다고 말했다.

"다윗이여! 나는 당신의 원수를 갚았습니다. 내가 당신을 위해 그들을 죽였습니다."

그 소리를 들은 다윗은 슬퍼했다. 자기의 절친한 친구 요나단이 죽었기 때문이다. 다윗은 그 사람을 나무에 매달아 죽였다. 그리고 친구 요나단의 죽음을 슬퍼하며 며칠을 울었다.

다윗 왕과 솔로몬 왕

다윗은 사울과 요나단의 죽음을 슬퍼하는 노래를 지어 이스라엘 사람들에게 가르쳤다.

아, 용사들이 전쟁에서 쓰러졌구나.

요나단, 어쩌다가 산 위에서 죽었는가?

요나단, 네 생각에 나는 마음이 아프오.

당신의 사랑은 여인의 사랑보다 더 진한 것이었소.

다윗은 온 식구들을 이끌고 헤브론으로 올라갔다. 그 때 사람들이 다윗을 찾아와 기름을 붓고 이스라엘의 왕으로 삼았다. 왕이 된 다윗 앞에는 어렵고 힘든 일이 기다리고 있었다. 다윗은 차근차근 어렵고 중요한 일들을 처리해 나갔다.

한편 죽은 사울 왕을 따르는 무리들이 있었다. 그들은 사울의 사령관들로 사울의 가족들을 따랐다. 그래서 다윗을 섬기는 무리들과 불화가 있었다. 하지만 다윗은 동족 간의 불화를 씻고 같은 하나님을 믿고 있는 것을 강조했다. 다윗은 이스라엘의 수도를 예루살렘으로 정했다. 나라는 차츰 정비되어 갔다. 그러자 다윗은 그의 목표를 이웃 나라로 돌렸다. 그리고 영토 확장을 위해 애를 썼다. 적군이 일단 항복을 하면 그들을 살려 주고 화친 조약을 맺어 이스라엘을 섬기도록 했다. 하지만 다윗도 인생에 있어 큰 실수를 범했다. 그것은 자신을 위해 싸우는 군인의 아내를 가로챈 것이다.

우리아의 아내 밧세바가 목욕을 하고 있는 것을 보고 다윗은 밧세바에게 마음을 빼앗겼다. 그리고 우리아를 가장 전투가 치열한 곳으로 보내 죽게 했다. 그리고 밧세바를 자기의 아내로 삼았다.

하나님은 화가 나서 나단 선지자를 다윗에게 보냈다.

"당신은 큰 죄를 저질렀소. 하나님께서는 밧세바가 낳은 아들을 죽일 것이오."

그 때서야 다윗은 자기가 큰 죄를 저질렀음을 알고 무릎 꿇어 하나님께 회개를 했다. 그리고 밧세바가 나은 아들을 살려 달려고 일주일 동안을 금식했다. 하지만 하나님은 아기를 살려 주지 않았다. 8일째 되는 날, 나단의 말대로 아기는 죽었다.

세월이 흘러 밧세바가 또 임신을 하고 아기를 낳았다. 하나님은 다윗이 진정으로 회개했기에 그 아기는 살려 주셨다. 그 아기의 이름은 솔로몬이었다. 다윗은 밧세바를 너무 사랑했기에 많은 아들 중에서 밧세바가 낳은 솔로몬을 후계자로 삼았다. 그 사실을 안 솔로몬의 형들은 화가 났다. 특히 압살롬이 가장 많이 분노했다. 큰아들인 자신이 왕위를 이어야 하는 것이 당연하다고 여겼기 때문이다.

영악한 압살롬은 백성들의 마음을 사야 한다고 생각했다.

'무슨 좋은 수가 없을까?'

그 무렵 백성들은 높은 세금 때문에 불평이 많았다.

'그래, 그거야. 세금을 이용하는 거야.'

압살롬은 세금을 낮추려고 애를 썼다. 백성들을 위한 것이 아닌 백성들의 인심을 얻으려는 속셈이었다. 이렇게 몇 년이 지나자 많은 사람들이 압살롬을 따랐다.

"다윗의 뒤를 이어 왕이 될 아들은 압살롬이야."

백성들은 이렇게 여론을 만들어 냈다.

마침내 압살롬은 아버지 다윗을 떠나 자기를 따르는 무리를 데리고 헤브론으로 갔다. 그리고는 아버지 다윗을 치자고 선동을 했다.

"아무리 나의 아버지이지만 세금을 많이 거두는 왕은 용서할 수 없습니다. 내가 새로운 왕국을 건설할 것입니다. 그 왕국은 세금으로 백성들을 힘들게 하지 않을 것입니다."

"와, 압살롬 만세!"

이 소문은 다윗의 귀에까지 들어갔다. 다윗은 사랑하는 아들 압살롬과 전쟁을 해야 한다는 사실이 마음 아팠다. 그리고 끔찍했다.

한편 다윗을 따르는 백성들도 아직 많았다. 그들은 블레셋에서 자기들을 구해 준 다윗을 위해 싸워야 한다고 목소리를 높였다. 나라 안은 드디어 다윗 왕을 따르는 사람과 압살롬을 따르는 사람으로 나누어졌다. 그리고 싸움이 시작되었다. 그러나 다윗 왕 쪽의 세력이 훨씬 강했다. 다윗 왕은 전쟁에 나가는 군사들에게 부탁을 했다.

"제발 내 아들 압살롬을 죽이지는 말라."

전쟁은 다윗 왕의 완전한 승리였다. 압살롬의 군인들은 앞다투어 도망을 갔다. 압살롬도 추격해 오는 다윗의 군사를 피해 말을 타고 도망을 갔다. 그러다가 그만 나뭇가지에 목이 걸렸다. 말은 그대로 앞으로 달려나갔지만 압살롬은 나뭇가지에 목이 대롱대롱 매달렸다. 그것을 본 한 군인이 다윗 왕의 부탁을 잊고 압살롬을 창으로 찔러 죽였다.

다윗은 전쟁에서 승리했지만 아들을 잃은 슬픔에 기뻐할 수 없었다. 그런 가운데 압살롬의 동생인 아도니야도 반란을 일으켰다. 더 이상 나라를 이끌어 갈 수 없는 다윗은 솔로몬에게 왕위를 물려주었다.

다윗은 노년이 되어서 귀중한 사실 하나를 깨달았다.

'형제간에 사이가 좋은 것이 얼마나 아름다운 일인가!'

다윗은 많은 것을 얻고 누린 왕이었지만 자식들은 잘 키우지 못한 것이었다. 하지만 다윗을 이어 왕이 된 솔로몬은 영리하고 지혜가 많은 사람이었다. 다윗은 솔로몬에게 이렇게 당부하며 숨을 거두었다.

"솔로몬, 하나님을 알고 마음과 뜻을 다해 그분을 섬겨라. 하나님이 너를 도우실 것이다. 그리고 어려움이 있을 때마다 하나님께 그 방법을 구하거라."

다윗은 이스라엘을 40년 동안 통치했다.

지혜가 많은 솔로몬 왕

왕이 된 솔로몬은 하나님께 천 번의 번제를 드렸다. 하나님은 그 번제에 대한 보답으로 솔로몬에게 물으셨다.

"네가 원하는 것이 무엇이냐? 그것이 무엇이든 내가 들어주겠다."

"하나님, 저는 부귀와 명예와 오래 사는 것보다 백성을 잘 다스릴 수 있는 지혜를 원합니다. 나라를 잘 다스릴 수 있는 지혜를 주십시오."

솔로몬은 지혜로운 왕이 되었다. 하나님은 지혜를 구하는 솔로몬이 너무 기특해서 그가 원하지 않은 부와 명예와 장수까지 주었다.

솔로몬은 하나님으로부터 받은 지혜를 나라와 백성들을 위해 썼다. 그의 지혜와 지식은 멀리 다른 나라에까지 소문이 나서 먼 나라 왕들도 와서 듣고 갈 정도였다. 솔로몬은 어려운 재판도 잘 해냈다.

어느 날, 두 명의 여자가 솔로몬을 찾아왔다. 여자들은 한 아기를 가지고 서로 자기의 아기라고 우겼다. 아기가 없는 여자가 울면서 말했다.

"솔로몬 왕이시여, 이 여자는 저와 한 집에 사는 여자입니다. 제가 얼마 전에 아기를 낳았는데 그 여자도 삼일 후 아기를 낳았습니다. 그런데 어젯밤에 이 여자의 아기가 엄마에게 깔려서 죽었습니다. 그러자 제 아기랑 죽은 아기랑 바꾸어 놓더니 내 아기가 자기 아기라고 우기는 것입니다."

이번에는 아기를 안고 있는 여자가 말했다.

"아닙니다. 이 여자가 거짓말을 하고 있습니다. 살아 있는 아기는 제 아이가 맞습니다."

두 여자 모두 소리를 크게 지르며 살아 있는 아기가 서로 자기의 아기라고 우겼다. 솔로몬 왕은 잠시 생각에 잠겼다. 신하들은 왕이 어떤 판결을 내릴지 궁금했다. 신하들은 서로 소곤거리며 말했다.

"아무리 지혜가 많은 솔로몬 왕이라도 이번엔 어쩔 수 없겠어!"

얼마 후, 솔로몬 왕은 드디어 입을 열어 신하에게 명령을 내렸다.

"어서 가서 큰 칼을 가지고 오너라."

"칼은 무엇에 쓰시게요?"

"저 여자 둘이 서로 자기의 아기라고 우기니 아기를 반으로 나누어 주면 되지 않겠느냐?"

그러자 아기를 안고 있던 여자가 말했다.

"좋은 생각이십니다. 어서 이 아기를 반으로 갈라 주십시오."

그러나 옆에 있던 여자는 더 큰 소리로 울면서 말했다.

"아닙니다. 이 아기는 제 아기가 아닙니다. 저 여자의 아기입니다. 그러니 반으로 자르지 마시고 그냥 저 여자에게 주십시오. 흑흑흑!"

여자의 울음소리는 너무 슬펐다. 솔로몬 왕은 고개를 끄덕이더니 신하에게 말했다.

"이 아기는 아기를 반으로 나누지 말라고 하는 여자의 아기다. 아기를 저 못된 여자에게서 빼앗아 이 여자에게 주어라. 그리고 저 여자는 당장 감옥에 가두거라."

이 이야기는 곧바로 온 이스라엘 사람들의 귀에 들어갔다.

"역시 솔로몬은 지혜로운 왕이야."

백성들은 솔로몬 같은 사람을 왕으로 모신 것을 자랑스러워했다.

솔로몬은 왕이 된 얼마 후부터 성전을 짓기 시작했다. 다윗 왕 때부터 아름다운 성전을 지으려 했지만 하나님은 다윗이 너무 많은 전쟁을 해서 사람들의 피를 많이 흘리게 했다고 성전 건축을 허락하지 않았다. 결국 그의 아들 솔로몬이 성전을 짓도록 했다. 솔로몬은 세상에서 제일

솜씨가 좋은 기술자를 불러들였으며, 가장 좋은 백향목 나무를 사용했다. 신기하게도 못을 사용하지 않고 성전을 지었다. 그리고 벽은 모두 황금으로 칠했다. 성전을 짓는 데는 7년이라는 세월이 걸렸다. 이스라엘 사람들은 성전을 중심으로 모였고 그 곳에서 하나님을 예배했다.

하지만 솔로몬은 나이가 들었을 때 그만 하나님을 믿지 않고 이상한 신들을 믿은 여자들에게 빠져서 하나님을 배반했다. 거기에다가 화려한 궁전을 14년에 걸쳐서 짓고 엄청난 건축 사업을 진행하고 토목 공사를 벌였다. 그리고 항구를 만들었다. 이런 일을 하기 위해 백성들을 고된 노역에 동원시켰고 세금도 무섭게 거두었다. 결국 백성들은 솔로몬에게서 마음이 떠났다. 그리고 솔로몬이 40년 동안의 이스라엘 통치를 마치고 숨을 거두자 곧 나라가 분열되어 남북으로 나누어졌다.

야곱의 후손들로 이루어진 12지파 중 10지파와 2지파로 나뉜 것이다.

두 나라로 갈라진 이스라엘은 힘이 약해졌다. 그러자 주변에 있는 나라들이 이스라엘을 넘보기 시작했다. 그리고 왕도 자주 바뀌었다. 결국 상황이 나빠진 이스라엘은 오랫동안 혼란에 빠질 수밖에 없었다. 그리고 이웃 나라의 식민지가 되어 버렸다. 그들이 살던 땅에서 흩어져 멀리 다른 나라까지 끌려가서 힘든 노역을 하며 살아야 했다.

나아만 장군을 고친 엘리사

나아만은 시리아의 장군이었다. 그는 싸움을 아주 잘하는 장군으로 왕은 그를 총애했다. 그는 많은 것을 가진 사람이 되었다. 나아만 가정은 행복했다. 가진 것이 많아 시리아에서 알아주는 부자였기 때문이다. 하지만 이 행복도 오래가지 못했다. 그만 나아만 장군이 몹쓸 병에 걸렸기 때문이다. 나아만이 걸린 병은 문둥병이었다. 문둥병은 살이 썩어

들어가는 병으로 하룻밤 자고 일어나면 손가락이 없어지기도 하고 발가락이 없어지기도 하는 무서운 병이었다.

나아만 장군 집에는 이스라엘에서 끌려온 조그만 여자 아이가 있었다. 이 아이는 나아만 장군 부인의 종이 되었다. 나아만 집안 사람들은 아이에게 잘 대해 주었다.

'장군님의 문둥병이 나을 수 있는 방법이 없을까?'

아이는 나아만 장군이 걱정이 되었다.

'그래, 이스라엘에 있는 엘리사 선지자님이라면 그 병을 고치실 수 있을 거야!'

그리고는 나아만 장군에게 달려가 이 소식을 전했다. 나아만 장군은 어린아이가 하는 말이라 처음에는 그냥 듣고 넘겼는데, 병이 깊어지자 아이가 말한 엘리사를 한번 찾아가 보기로 결심했다.

그리고 엘리사에게 줄 선물을 가득 싣고 이스라엘로 향했다.

"엘리사란 사람은 도대체 어떻게 병을 고칠까? 아마도 선지자라고 하니 내 상처에 손을 얹고 큰 소리로 기도해 주겠지!"

나아만 장군은 엘리사를 찾아갔다.

"엘리사 선지자님, 당신이라면 문둥병을 고칠 수 있다는 말을 듣고 저 멀리 시리아에서 왔습니다. 제 병을 낫게 해 주십시오."

"요단 강에 가서 일곱 번 목욕하시오!"

나아만 장군은 이해할 수가 없었다.

"기도를 해 주는 것도 아니고 목욕을 하라니! 목욕이라고 하면 수백 번도 더 했을 거요!"

화가 난 나아만 장군은 그냥 시리아로 돌아가려고 했다. 그러나 나아만 장군을 따라온 군인들은 생각이 달랐다.

"장군님, 속는 셈치고 요단 강에서 목욕을 해 보십시오. 밑져야 본전이 아닙니까?"

나아만 장군은 군인들의 성화에 하는 수 없이 요단 강을 찾아가 목욕을 했다.

한 번, 두 번, 세 번……. 여섯 번 목욕을 했지만 몸은 조금도 변화가 없었다.

"거 보라구. 목욕이 무슨 소용이야. 여섯 번을 했으면 조금씩 문둥병이 나아야 하지 않겠어!"

그러다가 나아만 장군은 마음을 돌렸다. 마지막으로 물 속에 들어가 몸을 담갔다. 그리고 물 속에서 나와 몸을 씻었다. 그런데 이게 어찌 된 일인가? 문드러졌던 살이 어린아이 살결처럼 고와졌다. 고름이 흐르던 살은 보드라운 살이 되었다.

"오, 믿을 수 없다. 이런 일이 벌어지다니!"

나아만 장군은 기뻐서 어쩔 줄을 몰랐다. 나아만 장군은 자기 병을 고친 이가 바로 하나님이라는 것을 알았다.

"하나님, 정말 감사합니다. 당신이야말로 진짜 신입니다."

나아만 장군은 엘리사에게 달려가 고맙다는 인사를 여러 번 했다. 그리고 신고 온 보물을 엘리사에게 주었다. 하지만 엘리사는 받지 않았다.

"내가 한 일이 아니오. 하나님께서 하신 일이오. 가지고 가시오."

나아만 장군은 완고한 엘리사의 마음을 설득할 수 없었다.

"그렇다면 하나님께 제사를 드리고 싶습니다."

나아만은 하나님께 감사의 제사를 드리고 하나님을 믿는 사람이 되기로 했다. 그리고 엘리사가 받지 않는 보물을 가지고 다시 시리아로 떠났다. 그런데 엘리사의 종 게하시는 그 보물이 마음이 걸렸다.

'엘리사 선지자님은 선물을 왜 돌려보내는 거야. 그 선물을 받을 수 있는 좋은 방법이 없을까?'

게하시는 좋은 생각이 났는지 얼른 나아만 장군을 쫓아갔다. 그리고는 나아만에게 거짓말을 했다.

"장군님, 엘리사 선지자님의 마음이 바뀌셨습니다. 많은 것은 필요 없고 은 두 개와 옷 두 벌만 달라고 저를 보내셨습니다."

"그래. 여기 있다. 안 그래도 아무것도 드리지 못해 마음이 무거웠는데 잘 되었구나."

나아만 장군은 기쁜 마음으로 은 두 개와 옷 두 벌이 아닌, 그것의 두 배를 더 주었다. 게하시는 그 선물을 몰래 자기 집으로 가지고 가서 꽁꽁 숨겨 놓았다. 하지만 선지자 엘리사가 그것을 모를 리 없었다.

"게하시, 너 아까 보이지 않던데 어디를 다녀 온 것이냐?"

"아, 예⋯⋯. 잠깐 친구를 만나러 갔다 왔습니다."

"이놈, 네가 나를 속이려 하는구나! 나는 네가 어디를 다녀왔는지 다 알고 있다. 감히 나를 속이다니!"

"잘못했습니다. 선지자님!"

"게하시, 너는 죄를 지었으니 그 죗값을 받을 것이다."

"뭐, 뭐⋯⋯라고요?"

"나아만 장군에게 있던 문둥병이 바로 너에게 옮겨 갈 것이다. 그리고 그 병은 고쳐지지 않을 것이다. 절대로!"

엘리사의 말이 끝나자마자 정말로 게하시는 몸에 문둥병에 걸렸다. 게하시는 울며 잘못했다고 빌었지만 소용없는 일이었다.

다니엘과 세 친구

이스라엘은 바빌로니아에게 나라를 빼앗겼다. 그리고 많은 사람들이 포로로 붙들려 갔다. 그중에 다니엘이라는 소년도 있었다. 다니엘은 워

낙 똑똑하고 영리해서 바빌로니아 왕인 느브갓네살 눈에 들어 궁궐에 들어가 최고 학문을 공부할 수 있었다. 다니엘에게는 사드락, 메삭, 아벳느고라는 친구가 있었다. 이들도 모두 이스라엘 사람이었다.

느브갓네살 왕은 바빌로니아에 있는 소년들 중에서 똑똑하고 지혜가 많은 사람을 뽑아 특수 교육을 시켰다. 그 중에 다니엘과 세 친구가 뽑힌 것이다. 소년들은 바빌로니아에서 최고의 교육을 받았고, 혜택도 많이 받았다. 왕은 그들에게 제일 맛있는 음식과 포도주를 내려주었다. 하지만 다니엘과 세 친구는 왕이 주는 진미를 먹을 수 없었다. 왜냐하면 그 음식들은 하나님이 아닌 이방 신에게 절하고 예배드린 후 가져다 준 음식이었기 때문이다. 그렇다고 왕이 주는 음식을 거절할 수는 없었다. 그래서 그들은 꾀를 내었다.

"우리는 왕께서 주신 고기 대신 채소를 먹겠습니다."

"그럴 수 없다. 왕께서 너희에게 고기를 주는 것은 좋은 몸을 만들기 위해서다. 그런데 채소만 먹어서야 되겠느냐? 왕께서 알면 가만히 계시지 않을 것이다."

"아닙니다. 일단 열흘 정도 시험을 해 보십시오. 열흘 동안 저희는 채소만 먹겠습니다. 그리고 열흘 뒤에 왕께서 하사한 진미를 먹은 소년들과 저희를 비교해 보십시오. 비교해서 우리 몸이 허약하고 그들보다 힘이 없다면 그 때 왕께서 주는 음식을 먹겠습니다."

열흘이 지났다. 다니엘과 세 친구는 어떻게 되었을까? 왕이 하사한 음식을 먹은 소년들보다 더 얼굴색이 환하고 빛이 났다. 건강해 보였다. 그래서 다니엘과 세 친구는 더 이상 왕이 주는 음식을 먹지 않아도 되었다.

다니엘과 세 친구는 나날이 지혜가 자랐고 다른 젊은이보다 영특해서 느브갓네살 왕의 마음을 기쁘게 했다.

왕은 특히 다니엘을 좋아했다. 왕이 이상한 꿈을 꾸었을 때 다니엘이 해석을 정확하게 해 주었기 때문이다.

그러던 어느 날 느브갓네살 왕은 자기 형상의 큰 신상을 만들도록 했다. 그리고 그 신상에 절하지 않는 사람은 모두 사형에 처하겠다고 했다. 왕의 신상은 27미터나 되는 아주 큰 금상이었다. 그 크기가 너무 커서 나라 어디에서든 그 신상이 보였다. 거기다 황금으로 만들었기에 햇빛을 받으면 반짝반짝 빛이 났다. 왕은 명령을 내렸다.

"모든 백성은 들으라. 이제 금으로 된 신상에 모두 엎드려 절하라. 절하지 않으면 그가 누구이든 뜨겁게 타는 불 속에서 넣으리라."

모든 사람들이 시간이 되면 왕의 신상을 향해 절을 했다. 밭을 갈다가도, 양을 치다가도, 부엌에서 음식을 만들다가도 시간이 되면 신상을 향해 절을 했다.

다니엘과 세 친구는 어떠했을까? 그들은 절대로 절하지 않았다. 신하들은 이 소식을 당장 느브갓네살 왕에게 전했다. 다니엘을 사랑했던 왕은 여간 고민이 되지 않았다. 하지만 분명히 백성들에게 약속한 것이라 어쩔 수가 없었다. 느브갓네살 왕은 다니엘과 세 친구를 불러 직접 물었다.

"너희들은 왜 나를 위해 만든 금신상에 절하지 않느냐?"

"왕이시여, 그럴 수 없습니다. 저희는 하나님을 믿는 사람들입니다. 하나님의 법을 거역할 수는 없습니다."

"내 법도 무서운 법이다."

"하지만 저희는 왕의 법보다 하나님의 법을 더 귀하게 여기는 사람들입니다."

"너희가 내 말을 듣지 않으면 너희는 죽게 된다."

"괜찮습니다. 하나님이 우리를 보호해 주실 것입니다. 만일 하나님이 우리를 보호해 주지 아니하실지라도 우리는 하나님을 배반할 수 없습니다. 어떤 상황에서도 우리는 하나님을 경배할 것입니다."

느브갓네살 왕은 다니엘과 세 친구의 하나님을 경배하는 마음을 꺾을 수 없었다. 하는 수 없이 이 네 사람을 불가마에 던져 버리라고 명령을 내렸다.

신하들은 명령이 떨어지자마자 이들을 불가마에 던졌다. 그리고 구멍을 덮었다. 얼마쯤 시간이 지났을까. 신하들은 불 속을 들여다보았다. 그런데 활활 타오르고 있는 불 속에서도 다니엘과 친구들은 머리카락 하나도 타지 않고 앉아 있었다. 자세히 보니 한 사람이 더 있었다. 하나님의 천사였다. 하나님의 천사가 그들을 보호해 주고 있었던 것이다.

왕은 이 소식을 듣고 불가마로 달려갔다. 그리고 다니엘과 친구들이 믿는 하나님을 찬양했다.

"오, 하나님! 당신은 신 중에 가장 높은 신이십니다."

그리고 다니엘과 세 친구에게 높은 벼슬을 주고 그들이 하나님을 섬기는 것을 허락했다.

사자 굴 속에 들어간 다니엘

느브갓네살 왕이 죽고 바빌로니아의 새 왕은 벨사살이 되었다. 그러나 그도 얼마 후 죽고 메디아 사람인 다리우스가 왕이 되었다. 그는 다니엘이 총명하였기에 다니엘을 신임했다. 그 나라에는 120명의 총독이 있었는데 다니엘을 총독보다 높은 자리에 앉혔다. 총독들은 당연히 다니엘을 시기했다.

"이스라엘 사람을 이런 자리에 앉히다니……."

그들은 다니엘이 실수하기만을 기다렸다. 하지만 다니엘은 실수는커녕 자기에게 맡겨진 일을 완벽하게 해 나갔다. 총독들은 어떻게 해서든 다니엘을 없애려고 밤마다 모여 모의를 했다.

"좋은 수가 있다. 다니엘은 하나님을 믿는다지. 하루에 세 번 이스라엘을 향해 머리를 숙이고 무릎을 꿇고 하나님에게 기도를 한다지!"

"그게 어때서?"

"그럴듯한 이야기를 만들어서 왕에게 기도를 금지하게 하는 명령을 내리게 하는 거야!"

"다니엘이 기도를 안 하면 일은 수포로 돌아가는데?"

"이 사람아! 다니엘이 기도를 안 할 사람인가? 그는 예전에도 금신상에 절하지 않은 사람이란 걸 모르는가?"

"그래, 맞아. 그는 왕의 명령을 어기고 죽게 된다고 해도 기도하는 것을 멈추지 않을 것이네!"

다음 날 총독과 신하들이 왕에게 달려가 말했다.

"왕이시여! 저희가 왕의 건강과 만수무강을 위해서 좋은 계획을 세웠습니다."

"그 계획은 무엇인가?"

"예, 오늘부터 30일 동안 온 백성이 왕을 위해 기도하는 것입니다. 그리고 누구든지 왕 외에는 아무에게도 절을 하거나 기도하지 못하도록 하는 것입니다. 누구든 이 법을 어기면 오랫동안 굶주린 사자의 밥이 되게 하는 것입니다."

왕은 자기를 극진히 생각해 주는 총독과 신하들의 계획에 기분이 좋아져서 그렇게 하자고 했다. 그리고 신이 나서 왕의 도장이 찍힌 법령을 방방곡곡에 붙였다. 사람들은 그 법령에 따라 30일 동안 다리우스 왕을 위해 기도했다. 다니엘은 이 법령이 바로 자기를 해치려고 하는 것임을 알았다. 하지만 다니엘은 변함없이 하나님을 섬겼고, 이스라엘을 향해 하루에 세 번 기도를 했다. 다니엘을 염탐하고 있던 신하들이 이 사실을 바로 총독에게 달려가 알렸다.

"다리우스 왕이시여, 왕의 법령을 어긴 자가 있습니다."

"그런 괘씸한 녀석이 있다고? 과연 그놈이 누구냐? 내 그놈을 사자 굴에 집어 넣으리라!"

"놀라지 마십시오. 왕께서 그렇게 아끼시는 다니엘입니다."

"뭐라고? 다니엘이……."

다리우스 왕은 그때서야 그 법령이 다니엘을 없애려고 만든 함정이었음을 알았다. 하지만 왕의 도장까지 찍어 버린 법령이었기에 어쩔 수가 없었다. 다니엘을 사자 굴에 넣을 수밖에 없었다.

신하들은 다니엘을 끌어와 사자 굴에 집어넣었다. 굴 속에는 며칠 동안 아무것도 먹을 것을 주지 않아 굶주린 사자들이 있었다. 사자들은 먹을 것을 달라고 사납게 으르렁거렸다. 왕은 사자 굴 속에 들어간 다니엘 때문에 무척 마음이 아팠다. 슬펐지만 그 슬픔을 겉으로 표현할 수는 없었다.

'흑흑, 불쌍한 다니엘. 이제는 굶주린 사자들의 밥이 되었겠구나!'

다음 날 아침, 다니엘 걱정으로 한숨도 자지 못한 왕은 혹시나 하는 마음으로 사자 굴로 달려갔다. 그리고는 사자 굴의 문을 열고 조심스럽게 다니엘을 불렀다.

"다니엘, 다니엘!"

어떤 일이 있었을까? 놀랍게도 사자들은 다니엘의 털끝 하나 건드리지 않았다. 오히려 다니엘 옆에 얌전히 앉아 있었다. 다니엘의 깨끗한 모습을 본 왕과 신하들은 깜짝 놀랐다.

"어서 사자 굴에 있는 다니엘을 꺼내라!"

왕은 살아 있는 다니엘을 보고 너무도 기뻤다. 왕은 다니엘을 얼싸안았다.

다리우스 왕은 나라 안에 새로운 조서를 내렸다.

"이제 너희들은 하나님을 경배하라. 다니엘을 살리신 하나님은 살아 계신 하나님이시다. 그가 우리를 영원히 다스리실 것이다."

메시아를 기다림

이스라엘 사람들은 바빌로니아로부터 세 차례의 침략을 받고 그들의 포로로 잡혀갔다. 그리고 그들 밑에서 생활을 했다. 하지만 영원할 것 같던 바빌로니아도 결국 새로운 강국 페르시아에게 멸망당했다.

페르시아의 왕인 고레스는 포로로 잡혀 온 이스라엘 사람들을 고향으로 돌려보내 주기로 했다. 그래서 약 5만 명의 이스라엘 사람들이 고향으로 돌아갔다. 그들은 고향으로 돌아가 이민족에 의해 무너진 성전을 재건했다. 고향으로 돌아가지 않은 사람들도 물질적으로 성전을 지을 수 있도록 지원을 했다.

이스라엘 사람들은 성전을 쌓기 시작했고 매일 아침과 저녁으로 하나님께 제사를 드렸다. 그러나 성전 재건을 방해하는 무리들이 나타났다.

그들은 이스라엘 사람들이 포로로 잡혀간 이후 이스라엘 땅에 들어와 사는 사마리아 사람들이었다.

성전 재건이 지연되자 사람들의 하나님에 대한 신앙이 사그라들었다. 그 때마다 하나님은 학개, 스가랴 등의 선지자들을 보냈다. 결국 이스라엘로 돌아온 지 23년 만에 성전이 완성되었다. 성전이 재건되고 난 뒤 많은 이스라엘 사람들이 다시 고향으로 돌아왔다.

많은 세월이 흘렀다. 사람들은 하나님을 잊어버렸다. 하나님의 말씀을 선포하는 제사장들조차 타락했다. 결국 이스라엘은 계속해서 등장하는 강국들에 의해 점령당했다. 페르시아, 이집트, 그리스, 로마가 차례로 이스라엘을 다스렸다. 이스라엘 인들 중 용감한 이들이 로마에 끝까지 항전했으나 소용이 없었다. 이스라엘은 이제 그들을 구해 줄 메시아를 기다리게 되었다. 그 메시아는 과연 누구일까?

그가 바로 신약에 등장하는 예수다. 예수가 태어나기 전까지 무려 400여 년의 세월을 이스라엘 사람들은 간절하게 메시아를 기다렸다. 그 400여 년 동안은 예언자도 없었다. 이스라엘 사람들은 어둠 속에서 사는 것 같았다. 그 고통은 너무도 길고 지루했다. 그러나 하나님은 이스라엘을 결코 버리지 않으셨다.

신 약

사도 요한의 출생 예고

사가랴라는 제사장이 있었다. 그의 아내 이름은 엘리사벳이었다. 이 부부는 하나님 앞에 의인이었다. 하나님의 모든 계명을 성실하게 지키고 하나님의 규례를 지켜 가는 사람들이었다. 그러나 그들에게는 자식이 없었다. 아이를 낳을 수도 없었다. 이미 나이가 너무 들어 늙었기 때문이다.

하루는 제사장들이 하나님을 경배하는데 사가랴의 차례가 되었다. 사가랴는 성전으로 들어가 분향했다. 백성들은 밖에서 제사장을 기다렸다. 제사장은 하나님을 예배하고 말씀을 전하는 사람이었다. 사가랴가 기도하는데 하나님의 천사가 향단 옆에 서 있었다. 사가랴는 깜짝 놀랐다. 그 천사는 하나님이 보낸 천사였기에 사가랴는 두려웠다.

"사가랴, 놀라지 마시오. 하나님께서 당신 부부를 사랑하셔서 아들을 주실 것이오. 이름은 요한이라고 하시오. 당신도 기뻐하고 즐거워할 터이지만 많은 사람들도 기뻐할 것이오. 그는 하나님의 일을 하는 훌륭한 사람이 될 것이오. 그래서 포도주나 그 어떤 술도 마시지 않을 것이오. 많은 이스라엘 사람들이 당신 아들을 통해 하나님께로 돌아올 것이오. 그는 아버지와 아들을 화해시키고 거역하는 사람들이 올바른 생각을 하도록 도울 것이오. 그리고 백성들이 그리스도를 맞아들일 준비를 하게 할 것이오.”

그 말을 듣고 사가랴는 깜짝 놀랐다.

“그렇지만 저는 늙은이입니다. 제 아내도 아기를 낳을 수 없는 늙은 몸입니다. 어떻게 그런 일을 믿으라고 하십니까?”

“나는 하나님을 시중드는 가브리엘 천사다. 내가 이 기쁜 소식을 전해 주기 위해 달려왔건만 너는 나를 믿지 않는구나. 때가 되면 이루어질 내 말을 믿지 않으니 너는 아들을 낳을 때까지 벙어리가 될 것이다.”

백성들은 성전 밖에서 사가랴가 나오기를 기다렸지만 오랫동안 소식이 없어서 모두 궁금해했다.

“무슨 일일까?”

“사가랴 제사장님이 하나님께 큰 화를 당했나?”

“그럴 리가 없어. 그분은 깨끗하고 정의로운 분이란 걸 몰라?”

“그럼, 무슨 일로 지금껏 나오시지 않는 거야?”

“글쎄…….”

드디어 성전에서 사가랴가 나왔다. 사람들은 환호성을 질렀다.

“제사장님, 어떻게 된 일입니까?”

“하나님께서 뭐라고 말씀하시던가요?”

“어, 어, 어…….”

사가랴는 말을 하려고 했지만 말이 나오지 않았다. 벙어리처럼 ‘어, 어, 어’만 할 뿐이었다. 말을 하지 못하는 사가랴는 손짓 발짓으로 무언가를 사람들에게 전하려고 애를 썼지만 사람들은 그게 무슨 뜻인지 알 수 없었다. 사람들은 사가랴가 성전에서 무엇인가 신비로운 것을 보고 왔을 거라고 생각했다.

그 뒤 엘리사벳은 임신을 했다.

"하나님께서 나에게 아기를 주셨어!"

엘리사벳은 하나님께 감사했다. 그렇게 다섯 달이 지났다.

예수님의 탄생 예고

엘리사벳이 아기를 가진 지 여섯 달이 되었을 때 하나님의 천사 가브리엘이 나사렛 지방을 찾아갔다. 그 곳에는 다윗 가문의 요셉이라는 사람과 약혼한 마리아라는 처녀가 있었다. 한밤중에 자신을 찾아온 가브리엘을 보고 마리아는 깜짝 놀랐다.

"누구세요?"

"놀라지 마라. 나는 하나님의 천사다. 하나님의 은혜가 너에게 임했으니 평안하라."

마리아는 천사의 말이 무엇을 의미하는지 곰곰이 생각해 보았지만 하나님의 은혜가 임했다는 말의 뜻을 알 수 없었다. 그러자 천사가 다시 말했다.

"마리아, 너는 하나님의 은총을 입어 아기를 갖게 되었다. 그 아기를 낳으면 이름을 예수라고 하여라. 그 아기는 위대한 분이다. 하나님의 아들이다. 그 아기가 인류의 영원한 왕이 될 것이다."

"저는 남자를 알지 못합니다. 어떻게 그런 일이 있을 수 있습니까?"

"성령이 너에게 임했다. 지극히 높으신 분의 힘이 너를 감싸 주실 것이다. 그 아기는 하나님의 아들이다. 네 친척 엘리사벳도 아기를 낳지 못하는 여자였지만 아기를 가진 지 벌써 여섯 달이 되었다. 하나님께서는 못하시는 일이 없는 것을 네가 모르느냐?"

"저는 하나님의 종이오니 주님의 말씀대로 그 일이 제게 이루어지길

바라나이다."

다음 날 마리아는 친척 엘리사벳을 찾아갔다. 가브리엘 천사의 말대로 엘리사벳은 임신 중이었다. 이 모습을 보고 마리아는 하나님께 찬가를 불러 드렸다.

"제 영혼이 주님을 찬양합니다. 하나님을 생각하는 기쁨에 제 마음은 설레입니다. 하나님께서 비천한 저를 돌보셔서 이제 사람들은 저를 보고 '복되도다'라고 말할 것입니다. 주님은 거룩하신 분, 주님을 두려워하는 사람들에게 주님은 대대로 자비를 베푸십니다. 주님은 전능하신 팔을 펼쳐서 마음이 교만한 자를 흩으십니다. 권세 있는 자들을 그 자리에서 내치시고 보잘것없는 자들을 높이십니다. 배고픈 사람에게는 좋은 것으로 배부르게 하시고 풍요한 사람은 빈 손으로 돌려보내십니다. 주님께서는 약속하신 자비를 기억하시어 이스라엘을 도우십니다."

마리아는 사촌 엘리사벳의 집에서 석 달을 함께 지내고 자기 집으로 돌아갔다.

한편 마리아와 약혼한 요셉 또한 하나님의 법을 지키는 사람이었다. 마리아가 임신했음을 알고는 남모르게 파혼하려고 했다. 혹시 마리아가 임신했다는 소식을 듣고 사람들이 마리아를 괴롭힐까 봐 염려했기 때문이다. 그 당시에 처녀가 임신을 하면 돌팔매질을 당해야 했다. 요셉이 이런 생각을 하고 있을 때 하나님의 천사가 꿈에 나타나 말했다.

"다윗의 자손 요셉아, 두려워하지 말고 마리아를 아내로 맞아들여라. 그의 뱃속에 있는 아기는 성령으로 잉태된 하나님의 아들이다. 마리아가 아들을 낳을 것이니 이름은 예수라고 하여라. 예수는 세상 사람들을 죄로부터 구원할 것이다."

잠에서 깨어난 요셉은 하나님의 천사가 일러 준 대로 마리아를 아내로 맞아들였다. 그러나 아들을 낳을 때까지 아내와 동침하지 않았다.

엘리사벳이 드디어 아들을 낳았다. 이웃과 친척들 모두 기뻐했다. 친척들은 아버지 사가랴와 같은 이름을 짓자고 했다.

"사가랴는 의인이오. 아버지처럼 훌륭한 사람이 되라고 '사가랴'라고 지읍시다."

그러나 아기의 어머니인 엘리사벳이 반대했다.

"안 됩니다. 그 아이의 이름은 요한이라고 해야 합니다."

친척들이 말했다.

"우리 집안에는 그런 이름을 가진 사람이 없소."

그리하여 이들은 아버지 사가랴에게 가서 이름을 뭐라고 지을지 물어보았다. 아직도 벙어리인 사가랴는 서판을 달라고 손짓으로 말하고는 이렇게 썼다.

"요한."

사람들은 모두 놀랐다.

"어떻게 엘리사벳과 사가랴의 생각이 똑같을까? 그래서 부부는 일심동체라고 하는가 봐."

이 소문은 온 동네에 퍼졌다. 사람들은 장차 이 아이가 어떤 사람이 될지 궁금했다. 하나님의 손길이 아이를 보살피고 있다고 확신했기 때문이다.

그 무렵 로마 황제는 온 천하에 호적 조사를 하라고 명령을 내렸다. 유대도 로마의 식민지였기에 호적 조사를 해야 했다. 사람들은 호적을 위해 저마다 고향을 찾아 길을 떠났다. 요셉과 마리아도 나사렛을 떠나 베들레헴을 향해 갔다. 그 곳은 요셉의 조상인 다윗 왕이 난 고을이었다. 이곳 저곳에서 온 사람들로 작은 동네인 베들레헴은 북적거렸다. 여관을 찾았지만 가는 곳마다 사람들이 가득 차 있었다.

"이걸 어쩌지? 언제 아기가 태어날지 모르는데……."

요셉과 마리아가 묵을 방이 없어 발을 동동 구르는 모습을 보고 어떤 사람이 와서 말했다.

"보아하니, 상황이 무척 좋지 않은 것 같군요. 괜찮으시다면 마구간이 하나 있긴 한데……. 거기에라도 묵으시겠습니까?"

"좋습니다. 어디든 하루 눈 붙일 곳이면 괜찮습니다. 이렇게 마음써 주셔서 감사합니다."

요셉과 마리아는 간신히 마구간을 얻어 잠을 잘 수 있었다.

"아아! 배가 아파요."

"아기가 나오려는 게 아니오?"

"맞아요. 아기가 태어나려고 하는 것 같아요."

몇 시간의 고통 끝에 우렁찬 아기의 울음소리가 울려 퍼졌다.

"응애, 응애!"

밤이었다. 하늘엔 별이 반짝였고 목자들은 마구간 근처에 있는 들에서 양 떼를 지키고 있었다. 하나님의 영광의 빛이 목자들에게 두루 비쳤다. 목자들은 겁에 질려 떨었다.

"두려워하지 말아라. 너희에게 기쁜 소식을 전하러 왔다. 오늘 구세주께서 다윗의 고을에서 나셨다. 어서 가서 그 아기께 경배하라."

천사들이 내려와 말했다.

그러더니 이번에는 하늘의 군대가 나타나서는 하나님을 목청껏 찬양했다.

"하늘 높은 곳에서는 하나님께 영광, 땅에서는 그가 기뻐하시는 자에게 평화로다."

하늘의 군대가 사라진 뒤 목자들은 아기가 누워 있는 말구유까지 찾아와 경배했다. 그리고 그들이 목격한 이야기를 마리아와 요셉에게 들려 주었다. 마리아는 이 모든 일을 마음속 깊이 새겼다.

별을 따라온 동방 박사

한편, 동방에 있는 박사들은 예수님이 태어나기 전부터 유난히 반짝이는 큰 별 하나를 보았다. 동방 박사들은 그 별을 보고 곧 인류의 왕이 태어날 것을 알았다. 그리고 그 별을 따라 멀리서부터 예루살렘까지 왔다. 동방 박사들은 유대의 왕인 헤롯에게 가서 말했다.

"이스라엘 인의 왕으로 나신 분이 어디 계십니까? 우리가 그분을 경배하러 왔습니다. 우리는 멀리서 큰 별을 따라 이 곳까지 왔습니다."

이 말을 들은 헤롯 왕은 무척 당황스럽고 화가 났다. 그렇지만 마음을 가라앉혔다. 그리고 대사제들과 율법 학자들을 모아 놓고 그리스도가 태어난 곳이 어디인지 물었다.

"유대 베들레헴입니다. 예언서에 그렇게 기록되어 있습니다.

"으음, 베들레헴이라……."

헤롯 왕은 동방 박사들을 불러 별이 나타난 때가 언제인지 정확히 물어 보고 그들을 베들레헴으로 보내면서 이렇게 부탁했다.

"가서 아기를 잘 찾아보시오. 그러면 나도 달려가서 경배할 것이오.

찾거든 꼭 내게 알려 주시오."

왕이 태어났다는 소문을 들은 예루살렘 사람들은 술렁거렸다.

"왕이 태어나셨다네. 그럼 지금의 헤롯 왕은 어떻게 되는 거지?"

"새로 태어난 왕은 우리를 로마의 압제에서 벗어나게 해 주실 거야."

왕의 부탁을 받은 박사들은 길을 떠났다. 그 때 동방에서 온 별이 그들보다 앞서 가다가 멈추었다. 별이 멈춘 곳은 멋진 왕궁이 아닌 아주 초라한 마구간이었다. 아기는 말구유에 얌전히 누워 있었다.

동방 박사들은 매우 기뻐하며 그곳에 들어가 어머니 마리아와 아기를 보고 엎드려 경배했다. 그리고 보물 상자를 열고 황금과 유향(지중해 지방에 있는 옻나무에서 채취한 향수)과 몰약(담황색 또는 암갈색의 방부제)을 예물로 드렸다.

그날 밤 박사들이 잠을 자는데 천사들이 꿈속에 나타나 말했다.

"헤롯 왕에게 가지 말고 다른 곳으로 가라."

또한 요셉의 꿈에도 나타나 천사가 전해 주었다.

"헤롯이 아기를 찾아 죽이려 하니 어서 일어나 애급으로 피난을 가라. 내가 알려 줄 때까지 거기 있거라."

그 밤에 요셉과 마리아, 아기는 황급히 짐을 싸서 애급으로 향했다.

헤롯 왕은 몇 달이 지나도 동방 박사들이 오지 않자 그들이 자기를 속이고 떠난 것을 알고 몹시 노하였다. 헤롯 왕은 아주 무시무시한 명령을 내렸다.

"베들레헴과 그 근처 마을에 있는 두 살 이하의 사내아이는 모두 죽여라!"

헤롯은 그 아기가 나중에 왕이 되어 자기 자리를 빼앗을까 봐 두려웠던 것이다. 그래서 베들레헴 근처의 아기들은 모두 헤롯이 보낸 군인들에 의해 무참히 살해당했다.

시간이 흘러 헤롯 왕이 죽었을 때 하나님의 천사가 애굽에 있는 요셉의 꿈에 나타났다.

"아기의 목숨을 노리던 헤롯이 죽었다. 일어나 아기를 데리고 이스라엘 땅으로 가라."

그러나 마리아와 요셉은 이스라엘로 가는 도중, 헤롯에 이어 그의 아들 아켈라오가 왕이 되었다는 소식을 듣고 갈릴리 지방 나사렛에 정착했다.

어린 시절의 예수

예수의 아버지 요셉은 목수였다.

"탕! 탕! 탕!"

요셉은 매일 망치질을 했다. 어린 예수는 아버지 요셉을 도와 크고 작은 심부름을 했다. 그 후 예수의 동생들도 생겼다. 예수는 요셉과 마리아의 사랑을 받으며 무럭무럭 자랐다. 예수는 키가 자라면서 지혜가 자랐고 하나님과 사람들에게 더 많은 사랑을 받았다.

예수가 열두 살이 되었을 때 요셉과 마리아는 예수를 데리고 예루살렘으로 올라갔다. 유월절 행사를 하기 위해서였다. 유월절은 유대 민족이 애굽에서의 노예 생활에서 벗어난 것을 기념하는 기간으로 유대의 가장 큰 명절이었다.

예루살렘 성전에 올라간 예수는 세상에 태어나서 그렇게 많은 사람들은 처음 보았다. 예루살렘에서 축제를 마치고 요셉과 마리아는 친척들과 함께 다시 나사렛으로 돌아왔다. 예수가 보이지 않았지만 돌아오는 일행 중 누군가와 함께 있으리라고 생각하고 길을 걸었다. 그러나 가는 도중 아무리 찾아보아도 예수는 보이지 않았다. 요셉과 마리아는 사람들에게 물어 보았다.

"우리 큰아들 예수를 보지 못했나요?"

예수를 본 사람은 아무도 없었다. 요셉과 마리아는 예수를 찾으러 예루살렘으로 되돌아갔다. 결국 사흘 만에 성전에 있는 예수를 보았다.

소년 예수는 성전 안에서 유대 사람들의 스승인 랍비들 틈에서 이야기를 하고 있었다. 소년 예수는 그들의 말을 듣기도 했고 궁금한 것을 묻기도 했다. 사람들은 소년 예수가 말하고 질문하는 것이 보통 아이들과 달라 경탄하였다.

마리아가 먼저 예수를 보았다.

"예수야, 너 거기서 뭐하고 있는 거니? 우리가 널 얼마나 찾았는지 모른다."

"어머니, 제가 제 아버지 집에 있는 것을 왜 모르셨습니까?"

그러나 예수의 부모는 그 말의 뜻을 깨닫지 못했다. 예수는 바로 하나님이 인류를 구원하시기 위해 보낸 하나님의 아들이었다.

세례 요한의 전도

예수보다 먼저 태어난 제사장 사가랴와 그의 아내 엘리사벳이 낳은 아들 요한을 기억하는가? 요한은 예수와 친척 사이다. 요한 역시 장성하여 청년이 되었다. 요한은 광야에서 낙타털 옷을 입고 허리에 가죽 띠를 두르고 메뚜기와 들꿀을 먹으며 살았다. 요한은 세상 사람들에게 이렇게 외쳤다.

"회개하라! 천국에 가까이 왔다. 광야에서 외치는 이의 소리가 들린다. 너희는 주의 길을 닦고 그의 길을 고르게 하라."

요한의 말을 듣고 많은 사람들이 회개했다.
"내가 그 동안 하나님을 인정하지 않고 살았습니다. 저를 용서해 주십시오."
요한은 회개하는 사람들에게 요단 강에서 세례를 베풀어 주었다. 그래서 요한을 세례 요한이라고 부르는 것이다. 요한은 또 형식적이고 율법적인 바리새 인과 사두개 인들을 향해 이렇게 외쳤다.

"독사의 자식들아! 앞으로 닥칠 징벌을 너희는 피하지 못하리라. 너희는 회개했다는 증거를 너희의 행실로 보여라. 너희는 '아브라함이 우리의 조상이다.'라는 말을 할 자격이 없다. 너희가 아브라함의 자손이라면 이 길가에 구르는 돌멩이도 아브라함의 자손이다."

바리새 인과 사두개 인들은 세례 요한을 싫어했다. 그러나 백성들이 요한을 따르기에 어쩔 수 없이 죽이지도 못하고 전전긍긍할 뿐이었다. 왜냐하면 요한을 해칠 경우 백성들이 자기들을 가만히 두지 않을 것이었기 때문이다.
사람들은 세례 요한이 유대 사람들이 오랫동안 기다려 온 메시아라고 생각했다.
"이 사람이야! 우리 조상 때부터 기다려 온 메시아가 이 사람이라구."
"오, 세상에! 내 생전에 메시아를 보게 되다니."

이런 말을 들을 때마다 요한은 고개를 가로저었다.

"나는 당신들이 기다리던 메시아가 아닙니다. 나는 그 분의 신발을 들 자격도 없는 사람입니다. 나는 다만 그 분보다 먼저 와서 그 분의 갈 길을 평탄케 하는 사람입니다."

세례를 받은 예수

그 즈음 예수도 세례를 받으려고 요단 강에 왔다. 예수는 요한에게 세례를 해 달라고 부탁했다. 요한은 예수를 보자마자 무릎을 꿇었다.

"제가 당신에게 세례를 받아야 할 텐데 어찌 저에게 세례를 해 달라고 하십니까?"

세례 요한은 정중하게 예수의 청을 거절했다.

"당신이 내게 세례를 주어야 비로소 내가 하나님께서 원하시는 일을 할 수 있습니다."

예수가 말했다.

그제서야 요한은 예수에게 세례를 주었다. 예수가 세례를 받고 물에서 올라오자 갑자기 하늘이 열렸다. 그리고 하나님의 성령이 비둘기의 모습으로 예수 위로 내려왔다. 그리고 하늘에서 소리가 들려왔다.

"이는 내 사랑하는 아들이다. 내가 기뻐하는 아들이다."

예수를 유혹하는 사탄

세례를 받은 뒤 예수는 광야로 떠났다. 그리고 거기서 40일을 금식하며 인류를 위해 자신이 해야 할 일들을 위해 기도했다. 예수는 배가 몹시 고팠다. 움직일 힘도 없었다. 그 때 사탄이 나타나 예수를 유혹했다.

"네가 정말 하나님의 아들이냐?"

"그렇다."

"그래, 그렇다면 이 돌을 빵으로 만들어 보아라."

"성경에 이르기를 '사람이 빵으로만 사는 것이 아니라 하나님의 말씀으로 산다.'는 말을 네가 모르더냐?"

이번에 사탄은 예수를 거룩한 도시로 데리고 갔다. 그리고 성전 꼭대기에서 이렇게 말했다.

"네가 하나님의 아들이라면 여기서 뛰어내려 보아라. 만약 하나님의 아들이라면 하나님의 천사들이 너를 머리털 하나 상하지 않게 네 발이 땅에 닿기 전에 너를 받을 것이다."

"너는 '하나님을 시험하라 말라.' 하는 말을 모르느냐?"

마지막으로 사탄은 예수를 산꼭대기로 데리고 올라갔다. 그리고는 산 아래에 있는 화려한 세상을 보여 주며 이렇게 말했다.

"내게 절하라. 그러면 이 모든 것을 너에게 주겠다."

그러자 예수가 말했다.

"사탄아 물러가라. '오직 하나님만을 섬기라.'는 말을 네가 알지 못하느냐? 나는 오직 하나님만을 경배할 것이다."

그 말에 사탄은 물러갔다.

이 때, 예수의 나이 서른 살이었다. 예수는 사탄과의 싸움에서 이기고 세상을 향해 나가서 하나님의 말씀을 전하기 시작했다.

예수는 먼저 자신과 함께할 제자들을 찾았다. 예수가 선택한 사람은 잘 살고 많이 배운 사람들이 아니었다. 똑똑하고 지혜로운 사람들이 절대 아니었다. 사람들에게 존경을 받을 만한 사람들도 아니었다. 누추한 곳에서 힘든 일을 하는 사람이었고 나쁜 짓을 한다고 손가락질을 받는 사람들이었다. 제자 중에는 고기 잡는 어부가 있었고, 가난한 백성들에게 세금을 걷는 포악한 세리도 있었다. 제자들은 예수를 만나자 자신들의 일터를 아낌없이 버리고 예수를 따랐다.

예수의 제자는 모두 열두 명이었다. 베드로, 그리고 베드로의 동생 안드레, 야고보, 요한, 빌립, 바돌로매, 마태와 도마, 알패오의 아들 야고보, 그리고 혁명 당원인 시몬, 야고보의 아들 유다, 가롯 유다.

첫 번째 기적

갈릴리 지방 가나에서 혼인 잔치가 있었다. 사람들은 모두 들떠 있었다. 잔치는 어느 시대 어느 곳에서든 즐거운 것이다. 마을 사람들은 새롭게 인생을 시작하는 두 사람을 축복해 주었다. 그 자리에는 예수의 어머니도 있었고 예수와 그의 제자들도 있었다.

"신부가 참 예쁘지요?"

"신랑은 어떻고요? 저 의젓한 모습을 보세요. 신부가 시집을 잘 간 거예요."

사람들은 모두 흥겹게 춤을 추고 포도주를 마시며 즐거운 시간을 보냈다. 그런데 생각보다 많은 사람들이 와서 잔치 도중에 포도주가 떨어져 버렸다. 마리아는 이 사실을 눈치채고 조용히 예수를 찾아 포도주가 떨어졌다고 말했다. 예수는 어머니 마리아가 무엇을 원하는 줄 알았지만 이렇게 말했다.

"어머니, 그것이 저와 무슨 상관이 있습니까? 아직 제가 일할 때가 아닙니다."

하지만 마리아는 그 집 하인들을 불러서 말했다.

"만약 내 아들, 예수가 너희들에게 무엇이라도 부탁하거든 그것이 무엇이든 시키는 대로 하여라."

예수는 하인들을 보고 물었다.

"항아리가 몇 개 있느냐?"

"두 개입니다."

"그래, 그 항아리에다 물을 가득 퍼다 담아라."

"예."

항아리에 물을 가득 담았을 때 예수는 하인들에게 말했다.

"이제 그 물을 퍼다가 사람들에게 나누어 주어라."

하인들은 좀 이상했지만 마리아의 말이 생각나서 예수가 시키는 대로 항아리의 물을 나눠 주었다.

사람들은 그 물을 마시더니 놀라워했다.

"아니, 이렇게 맛있는 포도주가 다 있다니!"

물을 갖다 준 하인들은 깜짝 놀랐다.

'조금 전까지 분명히 물이었는데……. 참, 신기하구나. 이 사람은 과연 누굴까?'

사람들은 신랑을 불러 이렇게 말했다.

"사람들은 보통 좋은 술을 먼저 내놓고 손님들이 취한 다음에 덜 좋은 술을 내놓는데, 이 집은 반대군요. 이렇게 맛있는 포도주가 아직까지 있었다니 참 놀랍소. 도대체 어디에서 구했소?"

맛있는 포도주 덕분에 잔치는 더욱 흥겨워졌다. 사람들은 이 신혼 부부를 어느 누구보다 축복해 주었다.

이 일을 지켜본 마리아는 빙그레 미소를 지었다.

'이제 예수가 일을 시작할 때가 되었군.'

제자들도 이 일을 직접 눈으로 보고 예수를 더욱 믿게 되었다.

산상수훈

예수는 사람들에게 많은 기적을 보여 주었지만, 그보다도 아름다운 말들을 많이 들려주었다. 그리고 어떻게 사는 것이 하나님께서 원하시는 삶인지도 가르쳐 주었다.

그 날도 예수는 주변에 모인 많은 사람들을 가르쳤다. 예수의 주옥 같은 가르침은 지금까지 유대 사람들이 들어 본 말과는 달랐다. 그리고 그 말에는 위엄과 힘과 권세가 있어 예수의 말을 하나라도 놓치지 않으려고 했다. 마음과 귀를 열어 예수의 말을 경청하는 사람들의 마음은 평화로워졌다.

예수는 이렇게 가르쳤다.

"마음이 가난한 사람은 행복하다. 하늘 나라가 그들의 것이다. 슬퍼하는 사람은 행복할 것이다. 그들은 위로를 받을 것이다. 온유(온화하고 부드러움)한 사람은 행복하다. 그들은 땅을 차지할 것이다. 옳은 일을 하고 싶어하고 의를 사모하는 사람은 행복하다. 그들은 만족함을 얻을 것이다. 자비를 행하는 자는 행복하다. 그들은 자비를 입을 것이다. 마음이 청결한 자는 행복하다. 그들은 하나님을 볼 것이다. 평화를 위해 애쓰는 사람은 행복하다. 그들은 하나님의 아들이 될 것이다. 옳은 일을 하다 박해를 받는 사람은 행복하다. 하늘 나라가 그들의 것이다."

"너희는 세상의 소금이다. 소금이 그 맛을 잃으면 무엇으로 짜게 할 수 있겠느냐? 길가에 버려져 밟힐 뿐이다. 너희는 세상의 빛이다. 세상을 밝히는 아름다운 빛이 되어야 한다. 너희는 형제와 이웃과 화목하라. 화목하지 않고 화를 풀지 않은 채 하나님을 경배하면 하나님은 그것을 받지 않으신다. 하나님을 경배하기 전에 싸운 자와 화해하고 오라. 또 너희는 원수를 갚지 말라. '눈에는 눈, 이에는 이'가 아니다. 누가 오른뺨을 치거든 왼뺨도 내어 주라. 누가 오 리를 가자고 하면 십 리를 같이 가 주어라. 달라는 사람에게 주고 사람들의 부탁을 거절하지 말아라."

"원수를 사랑하라. 하나님은 악한 사람이나 선한 사람에게 골고루 빛을 비추신다. 그들에게 공평하게 비를 내리신다. 사랑할 만한 사람을 사랑하는 것은 누구나 할 수 있다. 그러나 원수를 사랑하는 것은 아무나 할 수 없다. 너희는 이 일을 하라. 하나님은 너희가 원수를 사랑하기를 원하신다. 자선을 베풀 때는 오른손이 하는 일을 왼손이 모르게 하라. 사람들이 몰라 주어도 너희 하나님께서는 너희 마음과 행실을 아신다. 자선을 베풀고 칭찬을 받으려고 하지 말라. 기도할 때는 거리에서 시끄럽게 하지 말라. 하나님은 은밀하고 조용하게 드리는 겸손한 기도를 받으신다. 인정받으려는 형식적인 기도는 절대 하지 말라."

그리고는 기도하는 법을 가르쳐 주셨다.
"하늘에 계신 우리 아버지여! 이름이 거룩히 여김을 받으시오며, 나라에 임하옵시며, 뜻이 하늘에서 이룬 것같이 땅에서도 이루어지이다. 오늘날 우리에게 일용할 양식을 주옵시고, 우리가 죄 지은 자를 사하여 준 것같이 우리 죄를 사하여 주옵시고, 우리를 시험에 들게 하지 마옵시고, 다만 악에서 구하옵소서. 나라와 권세와 영광이 아버지께 영원히 있사옵나이다. 아멘."

"남을 판단하지 말라. 그러면 너희도 그 판단하는 만큼 판단을 받을 것이다. 어찌하여 형제의 눈에 있는 티끌은 보면서 너희 눈에 있는 들보는 보지 못하느냐? 원하는 것이 있느냐? 구하여라. 그러면 받을 것이다. 찾아라. 그러면 얻을 것이다. 문을 두드려라. 그러면 문이 열릴 것이다. 하나님은 자기를 찾는 자들을 결코 외면하지 않으신다. 하나님은 자기를 찾는 자들에게는 그들이 원하는 것보다 더 좋은 것을 주신다."

"좁은 문으로 들어가라. 멸망에 이르는 문은 크고 길이 넓어 그리로 가기가 편해 많은 사람들이 그 길로 간다. 그러나 생명에 이르는 문은 좁고 그 길이 험해서 찾는 이가 적다."

이렇게 가르치고 나서 예수는 덧붙여 말했다.

"아는 것보다 행하는 것이 더 중요하다. 내 말을 듣고 실행하는 자는 반석 위에 집을 짓는 슬기로운 사람이다. 아무리 비가 와도 반석 위에 지은 집은 무너지지 않는다. 그러나 내가 한 말을 듣고도 실천하지 않는 사람은 모래 위에 집을 짓는 어리석은 자가 된다. 비가 내려 큰물이 밀려오고 비바람이 불면 그 집은 금세 무너지고 만다. 너희는 어떤 사람이 되겠느냐? 반석 위에 집을 짓는 자가 되겠느냐? 모래 위에 집을 짓는 자가 되겠느냐?"

예수의 가르침을 들은 사람들은 모두 놀랐다.
"나는 평생 살아오면서 이런 가르침은 처음이야."
"이런 권위가 어디서 오는 걸까? 예수는 분명히 하나님이 보낸 사람이야."
"으스대며 거드름을 피우는 율법 학자들이 하는 말과는 정말 달라."

많은 병자를 고침

예수가 이런 말을 사람들에게 해 주고 산에서 내려오자 사람들도 예수의 뒤를 따라 내려왔다.
그 때 갑자기 군중들이 웅성거리기 시작했다.

"나병 환자다!"

"아니, 저런…… 나병 환자가 마을에 나타나면 어떡해."

"어휴, 재수 없어. 어서 집으로 가자고."

사람들은 조금 전까지 예수의 말을 듣고 착하고 바르게 살겠다고 다짐한 것을 금방 잊어버린 듯했다.

나병 환자는 사람들이 자기를 보는 눈길과 욕에도 아랑곳하지 않고 예수에게 달려와서는 크게 절했다.

"예수님! 당신이 하나님의 아들임을 제가 믿습니다. 당신이 하시고자 하면 못하는 일이 없는 줄을 제가 압니다. 부디 병으로 썩어 가는 이 몸을 고쳐 주십시오."

예수는 그에게 손을 잡고 이렇게 말했다.

"네 몸이 깨끗해졌다. 이제 집으로 돌아가라."

그 말 한 마디에 나병 환자는 깨끗이 나았다.

"이 일을 아무에게도 말하지 말라."

예수는 그에게 오직 사제에게 가서 몸을 보이고 이제 더 이상 나병 환자가 아닌 것을 증명 받고 마을에 내려와서 살라고 말했다.

예수가 가버나움이라는 마을에 들어갈 때에 백부장(백 명의 부하를 거느린 로마의 지휘관)이 예수를 찾아왔다. 사람들은 로마 인이 예수를 찾아온 것에 무척 놀랐다. 이스라엘 인을 종처럼 부리는 로마 인에다가 부하까지 거느린 지휘관이 예수를 찾는 것은 당시의 상식으로는 있을 수 없는 일이었다. 예수의 능력은 이미 이스라엘 인뿐 아니라 로마 인에게까지 소문이 나 있었던 것이다.

백부장은 로마의 식민지 사람인 예수 앞에 무릎을 꿇고 간청했다.

"주님, 제 하인 중에 중풍에 걸린 사람이 있습니다. 제가 무척 사랑하는 하인입니다. 그런데 그가 병이 너무 깊이 들어 괴로워하고 있습니다. 그를 보는 제 마음도 아프기는 마찬가지입니다. 부디, 제 하인의 병을 고쳐 주십시오."

예수는 하인을 사랑하는 그 갸륵한 마음에 감동해서 말했다.

"앞장서세요. 제가 가서 그 환자를 고쳐 드리지요."

그러자 백부장은 손을 가로저으며 말했다.

"아닙니다. 그러실 필요 없습니다. 저는 주님을 저희 집에 모실 자격이 없습니다. 주님을 제가 감당하지 못하겠습니다. 그저 한 말씀만 해 주십시오. 그러면 제 하인이 나을 것입니다. 저도 하인을 거느리는 사람이라 하인더러 이래라 저래라 말하면 하인은 그 말을 듣고 그대로 하는 것을 압니다. 말씀만 하셔도 제 하인의 병이 나을 것입니다."

이 말에 예수는 놀랐다. 예수는 감탄하면서 따라온 사람들에게 이렇게 말했다.

"지금껏 이스라엘 사람 중에서 이만한 믿음을 보지 못했습니다."

그리고 백부장에게 말했다.

"가 보십시오. 당신이 믿는 대로 그대로 될 것입니다."

그 말을 듣자마자 백부장은 허리를 굽혀 예수에게 인사를 하고 집으로 달려갔다. 집으로 가고 있는데, 그를 본 그의 다른 하인이 기뻐하며 달려왔다.

"주인님, 주인님이 사랑하시는 하인의 병이 나았습니다."

백부장은 하인이 언제 나았는지 물어 보고 그 때가 바로 예수가 말한 때라는 것을 확인했다.

며칠 후 예수는 제자들과 함께 나인 성이란 곳으로 갔다. 많은 사람들이 예수와 제자들의 뒤를 좇았다. 나인 성에 거의 다다랐을 무렵 장레 행렬을 만났다. 죽은 사람은 어떤 과부의 외아들이었다.

"쯧쯧, 혼자서 힘겹게 아들을 키웠는데 저렇게 먼저 가 버리다니!"

"이제, 저 여자는 무슨 희망으로 세상을 살아갈꼬?"

예수는 그 과부를 보자 측은한 마음이 들었다. 그래서 과부에게로 다가가 말했다.

"울지 마십시오."

그리고 상여 가까이 다가가서 상여에 손을 대었다. 상여를 메고 가던 사람들은 예수의 행동을 보고 걸음을 멈췄다. 예수가 말했다.

"젊은이여, 일어나라!"

그랬더니 상여 속에서 무언가 움직이는 소리가 났다. 젊은이가 다시 살아난 것이다. 그리고 상여에서 나와 일어나 앉더니 말을 하기 시작했다. 예수는 그 젊은이를 그의 어머니에게 데려다 주었다.

이 광경을 본 사람들은 모두 두려움에 사로잡혔다.

"죽은 사람이 살아나다니……. 이 사람이 누구이기에 죽은 자도 살려 낸단 말인가!"

"위대한 예언자가 이 땅에 왔군."

"아니야. 하나님께서 우리를 구하시려고 보낸 메시아야."

예수의 이 이야기는 유대와 그 근방 지역에 두루 퍼져 나갔다.

풍랑을 가라앉힌 예수

예수와 제자들이 한 번은 바닷가로 가서 배를 탄 적이 있었다. 오랜만에 사람들과 떨어져 있어서 여유가 있었다. 그 동안 많은 사람들로 인해 예수와 제자들 모두 피곤해 있었다. 배를 타고 바다 한가운데까지 나갔다. 예수는 뱃고물을 베개삼아 잠을 잤다. 그런데 갑자기 먹구름이 밀려오더니 잔잔하던 파도가 일렁이기 시작했다. 배는 거친 파도로 뒤집힐 것 같았다. 하지만 예수는 너무도 평안하게 잠들어 있었다. 거센 풍랑도 예수의 단잠을 깨우지 못했다. 제자들은 어찌할 바를 몰라 우왕좌왕하다가 결국 예수를 흔들어 깨웠다.

"선생님, 살려 주십시오. 바다가 우리를 삼키려 합니다. 파도가 너무 거칠어 어떻게 해야 할지 모르겠습니다."

"선생님, 저희가 죽게 되었습니다. 저희를 구해 주세요."

제자들의 울부짖는 소리에 예수는 눈을 떴다.

"그렇게도 너희가 믿음이 없느냐? 왜 그렇게 겁이 많으냐?"

이렇게 말하고는 일어나서 바람과 바다를 향해 꾸짖었다.

"고요해져라. 잠잠해져라!"

그러자 조금 전까지 높게 일던 파도가 일시에 잠잠해졌다. 사방이 아주 고요해졌다. 제자들은 너무 놀라 눈이 휘둥그레졌다.

'도대체 이 분은 누구시기에 바다와 바람까지도 복종할까?'

세례 요한의 죽음

요단 강에서 세례를 주며 백성들을 회개시킨 요한은 어찌 되었을까?

예수의 이름이 널리 알려져 이제 헤롯 왕도 그의 이름을 알게 되었다. 헤롯은 예수의 행적을 듣고 혹시 세례 요한의 영이 예수에게 들어간 것이 아닌지 두려웠다. 왜냐하면 헤롯이 요한의 목을 베었기 때문이다.

"요한은 내가 목 베어 죽이지 않았던가. 그렇다면 소문에 들리는 그자는 누구일까? 내가 한 번 예수라는 사람을 만났으면 좋겠는데……."

"세례 요한이 다시 살아난 것이 틀림없어."

사람들이 수군댔다.

"아니야, 예수는 예언가야."

이렇게 말하는 사람도 있었다.

헤롯은 사람을 시켜 요한을 옥에 가두었다. 헤롯이 동생 빌립의 아내 헤로디아를 자기의 아내로 만든 것을 요한이 옳지 않다고 사람들에게 이야기했기 때문이다. 헤로디아는 자기와 자기 남편을 백성들 앞에서 나무라는 요한이 미웠다. 요한을 죽이고 싶었다. 하지만 헤롯은 요한을 감옥에 가두기만 할 뿐 죽이는 것은 허락하지 않았다.

헤롯은 요한이 선하고 거룩한 사람임을 알고 있었다. 헤로디아가 요한을 죽이자고 할 때마다 헤롯의 마음은 괴로웠다. 당연히 헤로디아의 불만은 높아갔다.

"도대체 무엇이 두려워서 요한을 죽이지 못하는 거예요? 겁쟁이 헤롯! 저 요한의 머리를 내가 꼭 베어 버리고 말겠어."

헤로디아가 이렇게 말할 때 사람들은 헤로디아에게서 살기를 느꼈다. 그 때마다 몸이 오싹해졌다. 요한을 죽여 버리겠다고 말할 때, 헤로디아의 눈빛은 너무 무서웠다. 독기를 가득 품은 그 눈빛은 죽음을 부르는 눈빛이었다.

때를 기다리던 헤로디아에게 좋은 기회가 왔다. 헤롯 왕이 생일을 맞아 높은 관리들을 모두 초대한 잔칫날이었다. 그 잔치의 흥을 돋우기 위해 무희들이 나와 춤을 추었다. 그 중에는 헤로디아의 딸도 있었다. 모든 무희들이 물러나고 헤로디아의 딸만이 남아서 춤을 추었다.

아름다운 손놀림, 부드러운 곡선, 빙글빙글 몸을 돌리면서 윙크하는 그녀의 눈빛에 사람들은 빨려들어갔다. 헤롯과 고위 관리들의 마음은 즐거웠다. 음악 소리가 점점 사라지면서 아쉽게도 그 소녀는 춤을 마쳤다. 헤롯은 헤로디아의 딸을 불렀다.

"네 소원이 무엇이냐? 내가 너의 소원을 들어주마. 네가 원한다면 이 나라의 절반이라도 주겠다."

그 말을 듣던 사람들은 함성을 질렀다.

"헤롯 왕은 대단해."

소녀는 자기 어머니 헤로디아에게 갔다. 그리고 살며시 어머니의 귀에 속삭이며 말했다.

"어머니, 어머니께서 원하는 것이 무엇입니까? 어머니의 소원을 왕에게 말하겠나이다."

헤로디아는 딸에게 '요한의 머리' 라고 말했다. 소녀는 헤롯에게 달려가 말했다.

"지금 곧 세례 요한의 머리를 쟁반에 담아 제게 주십시오."

헤롯은 마음이 몹시 괴로웠지만 많은 사람들 앞에서 맹세한 것을 바꿀 수는 없었다. 할 수 없이 시위병을 시켜 요한의 목을 베어 오라고 명령했다.

요한의 머리를 베어 온 시위병은 그것을 헤롯에게 주었고 헤롯은 그 소녀에게 주었다. 소녀는 받은 것을 가지고 어머니에게 주었다. 헤로디아는 음흉하게 웃으며 이제는 속이 시원하다는 표정을 지었다.

세례 요한의 시체를 그의 제자들이 가져다가 장사를 지냈다.

5천 명을 먹인 기적

예수는 세례 요한이 죽었다는 말을 듣고 슬픔에 빠졌다. 그리고 배를 타고 사람들이 없는 한적한 곳으로 갔다. 그러나 사람들이 어떻게 알았는지 그 곳까지 찾아왔다. 예수는 사람들이 측은해서 그들이 데리고 온 병자들을 고쳐 주었다. 저녁때가 되어 집에 돌아가야 할 시간이 되었다. 하지만 사람들은 예수 곁을 떠나지 않았다.

제자 중 한 사람이 예수에게 와서 말했다.

"예수님, 이제는 사람들을 돌려보내야겠습니다. 여기는 외딴 곳이라 먹을 것을 살 곳도 마땅치 않습니다. 사람들 각자가 음식을 사 먹도록 마을로 보내는 게 좋지 않을까요?"

"그들을 보내지 말고 너희가 먹을 것을 사람들에게 나누어 주어라."

제자는 깜짝 놀랐다. 이렇게 많은 사람들에게 어떻게 먹을 것을 주라고 하는지 그들은 예수를 이해할 수 없었다. 어림잡아도 몇천 명이 될 것 같았다.

"예수님, 우리에게 있는 것은 떡 다섯 개와 물고기 두 마리뿐입니다. 이것을 어떻게 사람들에게 나눠 줄 수 있습니까?"

"그걸 내게 가지고 와 보라."

예수는 사람들을 풀 위에 앉게 했다. 그리고 제자가 가지고 온 떡 다섯 개와 물고기 두 마리를 손에 들고 하늘을 우러러 감사의 기도를 드렸다. 그리고 떡을 떼어 제자들에게 나누어 주었다

"자, 이것을 사람들에게 나누어 주어라."

제자들은 예수님의 행동을 납득할 수 없었지만 지금까지 수많은 기적을 만들어 냈기에 '혹시 이번에도……' 하는 마음으로 사람들에게 떡과 물고기를 나누어 주었다.

그런데 이게 웬일인가? 바구니에서 떡과 물고기를 꺼내어 나누어 줄 때마다 떡과 물고기가 자꾸 새롭게 생기는 것이었다.

사람들은 떡과 물고기를 풍족하게 먹을 수 있었다. 모두 나누어 주고 나서 제자들이 예수에게로 왔다.

그들의 바구니에는 아직도 떡과 물고기가 남아 있었다. 제자들이 바

구니에 남아 있는 떡과 물고기를 모아 보니 열두 바구니에 가득 찼다. 이 날 떡과 물고기를 먹은 사람은 모두 오천 명 가량이었다.

보리떡 다섯 개와 물고기 두 마리로 오천 명을 먹이시고 난 예수는 제자들에게 배를 타고 건넛마을 벳세다로 가라고 했다. 그리고 남아 있는 사람들을 집으로 돌려보냈다. 오랜만에 혼자 남은 예수는 기도하러 산에 올라갔다. 날이 저물어 예수는 산에서 내려와 혼자 있게 되었다.

한편 벳세다로 배를 타고 떠난 제자들은 바다에서 역풍을 만나 애를 쓰고 있었다. 아무리 힘있게 노를 저어 보아도 배는 앞으로 나가지 못했다. 제자들은 힘이 들었다. 어부 출신들이 몇 명이나 되는데도 역풍을 당해 내지 못했다.

"이럴 때 예수님이 계시면 얼마나 좋을까?"

"그러게 말야. 지난번처럼 말씀 한 마디로 바다를 잔잔하게 하실 텐데 말야."

그 때였다. 저만치서 누군가가 바다 위를 뚜벅뚜벅 걸어왔다. 제자들은 모두 소리를 질렀다.

"으악, 귀신이다!"

그 때가 새벽 네 시 정도였다. 제자들이 정신을 차리고 다시 보니 예수였다.

"나다. 겁먹지 말아라. 그리고 안심하여라."

예수가 말했다.

겁에 잔뜩 질렸던 제자들은 그제야 마음을 놓았다. 제자들이 탄 배에 예수가 오르자 바다는 곧 잠잠해졌다. 제자 중 베드로가 말했다.

"예수님, 저도 예수님처럼 바다 위를 걷고 싶습니다."

"믿음을 가지고 발을 바다 위로 내딛어라."

예수의 말에 베드로는 용기를 갖고 발을 앞으로 내밀었다.

왼발, 오른발, 왼발, 오른발. 놀랍게도 베드로도 바다 위를 걸었다.

배에서 이 모습을 지켜본 제자들은 부러움과 놀라움에 가득 찬 눈으로 베드로를 쳐다보았다. 베드로도 스스로 놀라는 모습이었다. 그런데 갑자기 한 줄기 바람이 불더니 높은 파도를 만들었다. 베드로는 그만 그 파도에 놀라 '풍덩' 하고 바닷속으로 빠져 버렸다.

"살려 주세요! 살려 주세요!"

어부 출신의 베드로였지만 깊은 바다 한가운데에서는 두려웠다. 다행히 배에 타고 있던 제자들이 그를 건져 주었다. 베드로가 배에 오르자 바람이 그쳤다.

예수가 말했다.

"믿음이 없는 자야, 왜 두려워하느냐? 왜 너는 의심을 하느냐?"

예수는 믿음을 지속시키지 못하고 한 줄기 바람에 덜컥 겁을 먹은 베드로를 책망했다.

배 안에 있던 제자들은 예수 앞에 엎드려 절하며 말했다.

"예수님은 참으로 하나님의 아들이십니다."

여자와 어린이를 사랑한 예수

예수님은 그 당시 약자였던 여자와 어린이에 대한 관심이 많으셨다. 힘없고 가진 것이 없는 여자와 어린이의 친구가 되어 주셨다.

하루는 어떤 바리새 인이 예수와 제자들을 저녁 식사에 초대하셨다. 식탁에는 제자들이 지금껏 보지 못했던 맛있는 음식이 많이 올라와 있었다. 제자들은 그렇게 맛난 음식들을 배불리 먹어 본 적이 없었다. 식사를 마치자 동네 사람들이 그 바리새 인의 집으로 놀러왔다. 바리새 인 집은 발디딜 틈이 없었다. 마침 그 동네에 행실이 나쁜 여자 하나도 그 자리에 왔다. 사람들이 수군거렸다.

"에이, 여기가 어디라고 와! 제까짓 게 무어라고 말씀을 들으러 와?"

"그러게 말이야. 주제 파악을 못하는 여자라니까."

하지만 여자는 동요됨이 없이 바리새 인 집에 머물렀다. 그러다가 갑자기 어깨를 들썩이며 흐느껴 울기 시작했다.

"어머, 웬일이야. 그래도 찔리는 건 있는 모양이지!"

그 여자는 사람들 틈을 비집고 나오더니 예수 앞으로 나아갔다.

그러더니 예수 앞에 엎드렸다. 여자의 눈물이 예수의 발 위로 떨어졌다. 그러더니 자기 머리카락으로 그 눈물을 닦고 예수의 발에 입을 맞추었다. 그리고 향유가 담긴 옥합을 깨뜨려 예수의 발에 쏟았다.

집 안은 여자가 깨뜨린 옥합에서 흘러나온 향유의 향기로 진동했다.

예수를 초대한 사람이 수군거렸다.

"예수가 정말 예언자라면 이 여자가 얼마나 행실이 좋지 않은 여자인 줄 알 텐데 왜 가만히 있는 거야?"

예수가 제자 중 한 명에게 물었다.

"베드로야, 너에게 물어 볼 게 있다."

"뭔데요? 예수님!"

"한 부자가 있는데 그 사람이 한 사람에게는 오십 데나리온을, 한 사람에게는 오백 데나리온을 빌려 주었다. 그런데 이 두 사람 모두 너무 가난해서 그 돈을 갚을 능력이 없었다. 마음이 너그러운 부자는 그들의 빚을 모두 탕감해 주었다. 네가 생각하기에 이 두 사람 중 누가 더 그를 사랑하겠느냐?"

"에이, 예수님. 너무 쉬운 질문입니다. 그거야 당연히 빚을 더 많이 탕감받은 사람이지요."

"맞다."

이렇게 대답하고는 여자를 보며 계속해서 말했다.

"이 여자를 보아라. 내가 이 집에 들어왔을 때 너는 나에게 발을 씻을 물도 주지 않았지만 이 여자는 자기의 눈물로 내 발을 적셔 주었다. 그리고 머리카락으로 내 발을 닦았지. 너는 내 머리에 기름을 발라 주지 않았지만 이 여자는 내 발에 향유를 발라 주었다. 잘 들어라. 이 여자는 이렇게 지극히 사랑을 보였으니 그만큼 더 많은 죄를 용서받으리라."

"여인이여! 당신의 죄를 용서합니다. 이제 돌아가십시오. 당신의 믿음이 당신을 구원했습니다. 이제는 평안히 돌아가십시오."

사람들은 예수가 이렇게 말하는 것을 이해할 수 없었다.

"저 사람은 도대체 누구길래 사람의 죄를 용서해 준다고 하는 거야?"

이와 비슷한 일이 또 있었다.

베다니에 사는 나병 환자 시몬의 집에 갔을 때 어떤 여자가 나드 향유를 한 근 가지고 왔다. 그리고는 식탁에 앉은 예수의 머리에 부었다.

이것을 본 제자 중에 가롯 유다가 여자에게 화를 냈다.

"도대체 이게 얼만데 이렇게 함부로 깨뜨립니까? 이것을 팔아다가 돈을 받아서 가난하고 불쌍한 사람을 돕는 게 좋지 않습니까?"

가롯 유다가 이렇게 말한 것은 가난한 사람을 생각해서 한 말이 아니었다. 그는 돈주머니를 맡아서 관리했는데, 가끔씩 거기에서 공금을 꺼내 쓰곤 했다.

예수가 제자들에게 말했다.

"이 여자는 나를 위해 아름다운 일을 했는데 왜 괴롭히느냐? 가난한 사람들은 너희와 늘 함께 있지만 나는 그렇지 않다. 이 여자가 내 몸에 향유를 부은 것은 나의 장례를 준비하기 위함이란다. 복음이 전해지는 곳마다 이 여자의 행적도 함께 알려지리라."

며칠 후 예수가 호숫가에 앉아 있을 때 회당장 야이로가 달려왔다.
"예수님, 제 어린 딸아이가 다 죽게 되었습니다. 빨리 제 집에 가셔서 저희 아이를 살려 주십시오. 그 아이에게 손을 얹어 병을 고쳐 주십시오."
애원하는 그를 보고 예수는 야이로를 따라 그의 집으로 갔다. 사람들도 예수를 따라 같이 움직였다.
"이번에도 다 죽어 가는 자를 살려 낼 수 있을까?"
"무슨 소리야? 지난번에 죽은 과부의 아들을 살렸다는 이야기를 듣지 못했어?"
많은 사람들이 예수를 둘러싸고 야이로의 집으로 향했다. 그런데 그 많은 사람들 중에는 12년이나 하혈을 하는 여인이 있었다. 그 여자는 혈루증을 고치기 위해 많은 의사를 찾아갔지만 소용이 없었다. 그 병을 고치기 위해서 그녀의 전재산을 썼지만 소용이 없었다. 그러다가 예수의 소문을 듣고 사람들에게 예수가 있는 곳을 물어물어 여기까지 온 것이었다.
여자는 큰 소리로 예수님을 불렀지만 그녀의 소리는 들리지 않았다. 여자의 병든 목소리는 사람들의 소음에 묻혀 버렸다.
여자는 어떻게 하면 예수를 만날 수 있을까 궁리했다.
'그래, 예수님은 능력이 많으니까 그 분의 옷자락만 만져도 내 병이 나을 거야.'
여자는 사람들을 비집고 들어가 예수의 옷자락을 살짝 만졌다. 옷을 살짝 만지기만 했는데 놀라운 일이 생겼다. 흐르던 피가 멈춘 것이다.

그 때 예수가 뒤를 돌아보며 말했다.

"누가 내 옷을 만졌느냐?"

"누가 옷을 만지다니요? 이렇게 사람들이 많아 밀쳐 내고 있는데요. 예수님도 보이지 않습니까?"

"아니다. 누군가가 내 옷을 만졌다."

여자는 자기를 향해 말하고 있다는 것을 알고 예수 앞으로 갔다. 그리고 두려움에 떨며 사실을 말했다.

예수가 말했다.

"당신의 믿음이 당신을 살렸습니다. 병이 완전히 나았으니 이젠 안심하고 돌아가도 됩니다."

잠시 후 야이로의 신하들이 달려왔다.

"주인님, 따님이 죽었습니다. 이젠 소용이 없으니, 선생님께 폐 끼치지 마십시오."

그 말에 야이로는 땅바닥에 털썩 주저앉아 울었다.

"예수님, 제 사랑하는 딸이 죽었습니다. 어떻게 합니까? 저는 이제 무슨 희망과 즐거움으로 살아갑니까?"

예수는 야이로의 어깨를 만지며 나직하게 말했다.

"따님은 죽지 않았습니다. 그냥 잠시 잠든 것입니다. 걱정하지 말고 집으로 갑시다. 내가 따님의 병을 고쳐 드리겠습니다."

야이로의 하인들은 예수를 비웃었다.

'내가 분명히 죽은 것을 확인했는데, 잠을 자고 있다니! 내가 귀를 가슴에 대고 숨을 쉬는지 안 쉬는지 확인을 했는데…….'

야이로의 집에 도착하자 집 안은 울음소리로 무척 시끄러웠다.

야이로의 하인들은 여전히 예수를 보고 코웃음을 쳤다.

'어디, 직접 보시지. 아이가 죽었는지 잠들었는지 말야!'

예수는 사람들과 함께 아이의 방으로 들어갔다. 아이는 침대에 고요히 누워 있었다. 예수는 사람들에게 모두 나가라고 했다. 오직 부모와 세 명의 제자만을 남게 했다. 사람들이 모두 방 안에서 나갔다. 그리고 무슨 일이 벌어지는지 살짝 엿보았다.

"달리다굼!"

예수는 힘있는 목소리로 말했다. 달리다굼은 '소녀야, 어서, 일어나라.' 의 뜻이다.

그 말에 여자 아이는 눈을 떴다. 그리고 침대에서 일어났다. 아이의 나이는 열두 살이었다.

이 광경을 본 사람들은 눈이 휘둥그레지고 놀라서 입을 다물지 못했다. 야이로와 그의 부인은 예수에게 고맙다며 연신 허리를 굽혀 인사를 했다. 소녀는 무슨 일이 일어났는지 모르겠다는 표정으로 사람들을 둘러보았다.

하루는 사람들이 자기 아이들을 데리고 예수를 찾아왔다.

"예수님, 우리 아들놈입니다. 우리 아이 머리 위에 손을 얹고 축복해 주십시오."

이렇게 기도를 청하는 사람들이 많아졌다. 제자들은 가뜩이나 많은 사람들 틈에서 피곤하고 지쳐 있는데 조그만 꼬마들까지 데리고 온 사람들이 아주 귀찮았다. 또 아이들이 시끄럽게 떠들고 소란을 피우는 것이 싫었다.

제자들은 그 사람들에게 호통을 쳤다.

"이보세요. 우리 예수님이 얼마나 바쁜데 이렇게 어린아이들까지 일일이 기도를 해 준단 말이오? 그냥 가시오."

그 말을 들은 예수는 제자들을 나무랐다.

"아이들이 나에게 오는 것을 어찌하여 너희가 오지 못하게 하느냐? 그대로 두어라. 하나님의 나라는 이런 어린이와 같이 순수한 사람들의 것이니라."

예수는 힘주어서 다시 말했다.

"분명히 말하지만 누구든지 어린아이와 같은 순진하고 깨끗한 마음이 있어야 천국에 갈 수 있다. 어린아이 같지 않으면 결단코 하나님 나라로 갈 수 없다."

그리고는 아이들을 안고 한 명 한 명에게 손을 얹어 축복해 주었다.

안식일의 주인

이스라엘 인은 안식일을 철저히 지켰다. 안식일에는 아무 일도 하지 않았다. 하나님께서 6일 동안 천지를 만드시고 그 다음 날 쉬신 것을 기념하는 날이기 때문이다. 멀리 외출도 하지 않았고 물건을 사지도 않았다.

어느 안식일, 예수와 제자들은 밀밭을 걷고 있었다. 배가 몹시 고픈 제자들이 밀 이삭을 잘라 먹었다. 이것을 본 바리새 인(기원전 2세기 후반에 모세의 율법을 철저히 지킨 유대교의 한 종파. 형식과 위선에 빠져 예수를 비방하고 십자가에 못박음)은 화가 났다.

그리고 예수에게 대들었다.

"이것 보시오, 예수. 당신의 제자들이 안식일에 해서는 안 될 일을 하고 있소! 거룩한 안식일에 이게 무슨 짓이오?"

"당신은 성경에서 다윗이 굶주렸을 때에 그가 한 일을 읽어 보지 못했나요? 다윗은 하나님의 성전에 들어가 그 일행과 함께 제단에 차려

놓은 음식을 먹었습니다. 그것은 제사장 외에 누구도 먹을 수 없는 것인데도 말입니다. 또 성전의 제사장들은 안식일의 규정을 어겨도 그것이 죄가 되지 않는다는 사실을 모르십니까? 성경은 이렇게 말합니다. '내가 바라는 것은 나에게 동물을 잡아 바치는 제사가 아니라 이웃에게 베푸는 자선이다.' 이 말씀의 뜻이 무엇인지 모르십니까? 또 사람이 바로 안식일의 주인입니다."

예수는 이 말을 하고 회당으로 들어갔다. 마침 한 쪽 손이 오그라든 사람이 있었다. 바리새 인들은 예수를 고발하려고 일부러 이렇게 물어보았다.

"안식일에 사람의 병을 고쳐 주는 것이 법에 어긋나지 않습니까?"

예수는 그 물음에 대해 '맞다', '그르다'를 말하지 않았다. 오히려 그들에게 이렇게 되물었다.

"한 사람이 있었습니다. 그에게는 양 한 마리가 있었습니다. 그런데 그 양이 안식일에 구덩이에 빠졌습니다. 당신이 그 양의 주인이라면 어떻게 하시겠습니까? 아마도 사람들의 대부분이 그 양을 꺼낼 것입니다. 사람은 양보다 귀합니다. 안식일에 착한 일을 하는 것은 법을 벗어나는 일이 아닙니다."

그러고 나서 손이 오그라든 사람의 손을 고쳐 주었다.

예수의 지혜로운 말에 바리새 인들은 화가 나서 '어떻게 예수를 죽여 버릴까?' 하고 의논을 했지만 별 뾰족한 수가 떠오르지 않았다.

믿음을 가지라

예수가 산에 올라가서 기도를 하고 내려왔을 때 제자들이 사람들에게 둘러싸여 서기관(성경 말씀을 정확하게 기록하고 성경을 연구하는 사람)들과 말다툼을 하고 있었다. 사람들은 예수를 보자 그에게 달려와 인사를 했다.

"무슨 일로 이렇게 싸우십니까?"

"예수님, 제 아이가 귀신들려 말을 하지 못합니다. 예수님이 보시고 고쳐 주십시오. 귀신이 이 아이 몸 속으로 들어가면 아이는 발작을 합니다. 땅에 쓰러져 뒹굴고 거품을 입에 물다가 이를 갑니다. 그리고는 몸이 돌덩이처럼 뻣뻣해집니다. 예수님이 계시지 않아 예수님의 제자들에게 귀신을 쫓아 달라고 했는데 못했습니다."

이 말을 듣고 예수는 제자들을 꾸중했다.

"내가 언제까지 너희와 함께 있어야 한단 말이냐? 아이를 이리로 데려오너라."

사람들이 아이를 데리고 오자 아이 속에 있는 귀신이 예수를 보고는 아이에게 더욱 심한 발작을 일으키게 했다. 아이는 땅에 넘어져 입에서 거품을 흘리며 뒹굴었다.

"이 아이는 언제부터 이랬습니까?"

"아주 어렸을 때부터입니다. 한번 발작을 하면 불 속으로 뛰어들어가기도 하고 물 속에 빠지기도 해서 여러 번 죽을 뻔했습니다. 예수님께서 자비를 베푸셔서 이 아이를 살려 주십시오."

"믿는 사람에게는 안 되는 일이 없습니다. 오직 절대적인 믿음만 있으면 됩니다."

"저는 예수님을 믿습니다. 그러나 저의 믿음이 부족하다면 저를 도와 주십시오."

사람들은 한 명 두 명 예수와 귀신들린 아이와 그 아버지가 있는 곳으로 몰려들었다.

예수는 큰 소리로 아이 속에 있는 귀신을 꾸짖었다.

"말 못하게 하고 듣지 못하게 하는 귀신아, 그 아이에게서 썩 나와라! 그리고 다시는 그 아이에게 들어가서 괴롭히지 말아라!"

그러자 아이는 소리를 질렀다.

"아악!"

아이 속에 있는 귀신이 소리를 지른 것이었다. 그리고 그 아이에게 심한 발작을 일으키게 하고 부르르 떨더니 나가 버렸다. 귀신이 떠난 아이는 잠잠해졌다. 누워서 움직이지 않았다. 사람들은 아이가 죽었다고 생각했다. 예수는 아이의 손을 잡아 일으켰다. 그러자 아이는 벌떡 일어났다. 사람들의 입에서 '와' 하는 탄성이 터져 나왔다.

집으로 돌아가는 길에 제자들이 예수에게 조심스럽게 물었다.

"선생님은 몇 마디로 귀신을 쫓아 내셨는데 왜 저희는 그렇게 하지 못하는 것입니까? 귀신을 물리칠 수 있는 방법을 가르쳐 주십시오."

"기도해라. 기도말고는 그런 일을 할 수 있는 것이 없다."

뽕나무에 올라간 삭개오

삭개오는 직업이 세리였다. 세리는 세금을 거두는 사람이다. 로마의 지배를 받고 있는 이스라엘 인들을 상대로 세금을 받아 내는 사람이었다. 삭개오는 법으로 정한 세금말고도 자기가 더 많은 종목을 정해서 세금을 받아 냈다.

"이 집이 아들을 낳았다면서……. 그럼 세금을 내야지."

"농사가 아주 잘 되었네. 그럼 세금을 더 내야지."

사람들은 삭개오의 말에 화가 났지만 세금을 내지 않으면 곤란에 빠뜨릴 것 같아 어쩔 수 없이 세금을 냈다. 삭개오는 이렇게 해서 큰 부자가 되었다. 먹고 싶은 것, 입고 싶은 것, 보고 싶은 것이 무엇이든 삭개오는 모두 자기 것으로 만들 수 있었다.

그러나 부자 삭개오도 할 수 없는 것이 있었다. 그것은 진실한 친구를 만드는 것이었다. 삭개오는 외로웠다.

'나도 좋은 친구가 있으면 좋겠어. 물론 내 주변에는 나를 잘 따르고 명령을 잘 듣는 사람들이 많지만 모두 속으로는 나를 싫어하지. 이들은 나의 재산을 노릴 뿐이야.'

삭개오의 마음은 점점 닫혀졌다. 사람들은 삭개오가 지나가면 그의 등뒤에서 욕을 했다.

"야, 저기 돼지 같은 세금쟁이가 지나간다."

"돈밖에 모르는 나쁜 놈."

그럴 때마다 삭개오는 몹시 외롭고 쓸쓸했다.

어느 날 삭개오가 사는 마을에 예수가 온다는 소문이 났다.

"예수라는 사람이 우리 마을에 온대. 병든 사람을 고치고 죽은 사람도 살려 낸다지?"

"어디 그것뿐인가? 그 사람은 우리같이 헐벗고 가난한 사람들을 사랑하신다네. 그리고 아무리 나쁜 사람들도 용서해 준다네."

그 말을 들은 삭개오는 가슴이 떨렸다. 너무 설레어 무슨 말을 할 수가 없었다.

'어쩌면 예수라는 사람은 나를 친구로 맞아 줄지도 몰라. 아아, 어쩌지. 솔직히 나쁜 짓을 너무 많이 했는데……. 예수는 나 같은 사람도 용서하고 친구가 되어 줄까?'

삭개오는 며칠 동안 전전긍긍했다. 드디어 예수가 삭개오가 사는 마을을 지나게 되었다. 사람들은 남녀노소 가리지 않고 거리로 달려나갔다. 기적을 만들어 내는 예수의 얼굴을 보기 위해서였다. 삭개오도 달려나갔다. 그러나 너무 많은 사람들이 예수를 에워싸고 있어서 예수의 얼굴을 볼 수가 없었다. 거기다 삭개오는 키가 너무 작았다. 어른이었지만 삭개오의 키는 열 살 아이보다 작았다.

"나도 한 번 예수 얼굴을 보자고!"

하지만 사람들은 삭개오의 부탁을 들어주지 않았다. 사람들 틈을 비집고 들어가려고 했지만 작은 키의 삭개오 힘으로는 어림도 없었다. 이렇게 해서는 절대 예수를 만날 수 없다고 생각한 삭개오는 궁리를 했다. 뽕나무 하나가 보였다. 키도 크고 나뭇가지가 예수가 있는 쪽으로 뻗어 있었다. 삭개오가 앉아도 부러지지 않을 만큼 튼튼해 보였다.

삭개오는 뽕나무에 올라갔다. 그리고 그 나뭇가지에 앉았다. 자기에게 자리를 비켜 주지 않는 사람들은 모두 삭개오 발 아래 있었다. 예수의 얼굴이 잘 보였다.

'역시 저 사람은 얼굴이 아주 선하게 생겼구나! 나 같은 욕심쟁이와는 달라. 저 인자한 웃음 좀 봐!'

예수는 천천히 걸어갔다. 사람들이 예수를 따라 움직였다. 예수는 뽕나무 가까이에 가더니 갑자기 걸음을 멈추고는 나무를 올려다보았다. 사람들의 시선도 당연히 뽕나무 위를 향했다. 거기에 삭개오가 있었다. 삭개오는 얼굴이 빨개졌다. 이렇게 많은 사람들이 자기를 본 적이 없었다. 거기다가 사람들 중에는 그렇게 만나고 싶어하는 예수가 있지 않은가! 삭개오는 뽕나무 잎사귀에 얼굴을 가렸다.

예수가 물었다.

"이름이 뭡니까?"

"삭개오입니다."

사람들은 그 말이 떨어지자 삭개오가 얼마나 나쁜 사람인지 예수에게 말해 주었다. 그러나 예수는 그 사람들의 말을 들은 척도 하지 않고 웃으며 말했다.

"삭개오라고요. 오늘은 제가 당신 집에 묵고 싶은데 괜찮을까요?"

삭개오는 예수가 자기 집에 가고 싶다는 말에 너무 기쁜 나머지 하마터면 뽕나무에서 떨어질 뻔했다. 나무에서 내려온 삭개오가 말했다.

"암요, 암요. 당연히 저희 집에 예수님을 모시겠습니다. 저희 집에 오신다니 몸둘 바를 모르겠습니다. 너무 감사드립니다."

삭개오는 자기 집에서 가장 좋은 방으로 예수를 안내하고 저녁 식사를 대접했다. 이 모습을 본 사람들이 퉁명스럽게 말했다.

"예수는 어째서 저렇게 되어먹지 않은 사람을 상대하는 거지? 혹시 예수도 돈에 약한 게 아니야?"

식사를 마치자 삭개오는 그 동안 자기가 저지른 나쁜 죄들을 예수 앞에서 고백했다. 그리고 이렇게 말했다.

"예수님, 저의 잘못을 용서해 주세요. 이제는 동포들을 괴롭히지 않겠습니다. 가난한 사람들에게 저의 재산을 내어 주겠습니다. 혹시 제가 의롭지 않게 남의 재산을 갖고 온 것이 있다면 네 배로 갚아 주겠습니다. 앞으로는 절대로 남을 괴롭히거나 속이지 않겠습니다."

예수는 그 말을 듣고 이렇게 말했다.

"오늘, 이 집에 구원이 찾아왔습니다. 삭개오도 아브라함의 자손입니다. 나는 이렇게 잃어버린 자를 구하러 온 것입니다."

그제서야 사람들은 예수가 왜 삭개오를 만나 주었는지 이해했다. 삭개오와 사람들은 친구가 되었다. 이 날은 삭개오가 세상에 태어나서 가장 기쁘고 복된 날이 되었다.

예수 주위에는 언제나 사람들이 많았다. 그들 중에는 가난한 사람, 천대받는 사람, 아픈 사람이 많았다. 예수는 못된 짓을 하는 사람들과 친구가 되었고 행실이 좋지 않은 여자들도 가까이 했다. 이것을 바리새 인들이 좋아할 리가 없었다. 바리새 인들이 예수에게 물어 보았다.

"당신은 왜 죄 많은 사람들과 함께 밥을 먹는 것입니까?"

"나는 의로운 사람 아흔아홉 명이 아닌 죄인 한 명을 구하러 왔습니다. 어떤 양치기에게 양 백 마리가 있습니다. 그런데 그 중에 한 마리를 잃어버렸습니다. 아마도 그 양치기는 그 한 마리를 찾기 위해 동분서주할 것입니다. 그러다가 그 양을 찾으면 기뻐할 것은 당연합니다. 그리고 친구들과 사람들을 초대해서 함께 그 기쁨을 나눌 것입니다. 나도 그와 같습니다."

그러면서 '돌아온 탕자' 이야기를 해 주었다.

돌아온 탕자

어떤 사람에게 두 아들이 있었다. 큰아들은 아버지와 함께 성실하게 일을 했지만 작은아들은 노는 것을 더 좋아했다. 어느 날 작은아들이 아버지에게 말했다.

"아버지, 저에게 주실 재산을 미리 주세요. 도시로 나가 사업을 해 보고 싶습니다."

매일 와서 조르는 아들을 이길 수 없어서 아버지는 작은아들에게 물려줄 유산을 하는 수 없이 미리 주었다. 그렇게 돈을 받아든 작은아들은 도시로 나가 허랑방탕하게 시간을 보냈다. 많은 사람들이 돈 많은 그를 따랐다. 그와 함께 있으면 얼마든지 즐거운 시간을 보낼 수 있기 때문이었다. 그러나 이런 시간은 오래 유지되지 않았다. 허영을 부리며 사치를 좋아하는 그였기에 아버지가 주신 돈은 금방 떨어졌다. 이제는 호주머니에 한 끼의 밥도 사 먹을 돈이 남아 있지 않았다. 자기를 따르던 친구들을 찾아갔지만 모두들 모른 체했다. 며칠 전까지 작은아들이 죽으라면 죽는 시늉까지 했던 친구들 모두 그를 외면했다. 작은아들은 외로웠다. 하루, 이틀, 사흘은 어느 정도 밥을 굶어도 참을 수 있었다. 하지만 더 이상 참을 수가 없었다. 결국 작은아들은 돼지를 기르는 집에 가서 사정을 했다.

"돼지 치는 일을 하게 해 주세요. 잠은 어디에서 자든 상관 없습니다. 돼지우리에서 자라고 해도 감사하며 자겠어요. 밥이요? 그것도 걱정하지 마세요, 돼지가 먹는 쥐엄나무 열매라도 좋아요. 여기서 일하게 해 주세요."

얼마 전까지 가장 비싼 음식을 먹던 막내는 돼지가 먹는 음식을 먹으며 살아야 했다. 세월이 지날수록 아버지와 고향이 그리웠다.

'아버지 집에는 먹을 것이 풍족했지. 일꾼까지 먹고도 많은 음식이 남았어. 그런데 나는 여기서 돼지가 먹는 쥐엄나무 열매를 먹고 있구나. 어쩌면 나는 영양실조로 죽을지도 몰라. 그래, 비록 부끄러운 짓을 했지만 다시 고향으로 돌아가자. 아버지께서 나를 용서해 주시지 않아도 좋아. 아버지 집에서 자지 않아도 좋아. 아버지의 아들이 아닌 품꾼으로 살아도 지금보다 훨씬 좋을 거야! 그래, 집으로 가자!'

마침내 아들은 도시를 떠나 아버지가 계시는 시골로 내려갔다. 아버지는 작은아들이 집을 나간 후 매일 동네 어귀에 서서 아들이 오기를 기다렸다. 멀리서 아들이 오는 것을 본 아버지는 아들에게 달려갔다.

"오오. 내 아들이 맞느냐? 어디 보자, 내 새끼!"

아들은 아버지에게 죄송해서 고개를 들지 못했다.

"아버지, 저는 아들 자격이 없습니다. 저는 아버지께 큰 죄를 지었습니다. 저를 아버지 집의 하인으로 써 주십시오.”

그러나 아버지는 하인들을 불러 제일 살찐 송아지를 잡아 잔칫상을 준비하라고 했다. 그리고 다른 하인에게는 집에서 가장 고운 비단옷을 가져오라고 했다.

“애들아, 오늘은 내 생전에 가장 즐거운 날이구나. 가장 기쁜 날이구나. 죽었던 내 아들이 살아서 돌아왔으니 이보다 더 좋은 날이 어디 있겠느냐?”

성대한 잔치가 벌어졌다. 마을 사람들은 모두 아버지를 축하해 주었고 돌아온 동생을 격려했다.

“앞으로는 절대 아버지 속을 썩이지 말아라!”

“너희 아버지께서 얼마나 마음 고생을 하셨는지 아느냐?”

해가 질 무렵 형이 집으로 돌아오다가 음악소리를 들었다. 잘 들어 보니 자기 집에서 들려오는 소리였다. 맛있는 음식 냄새도 코를 찔렀다.

'무슨 일일까?'

형은 집으로 달려갔다. 그런데 집을 나갔던 동생이 돌아와 있는 것이었다. 형은 갑자기 화가 났다. 아버지에게 가서 따지듯 물었다.

“아버지, 어떻게 이러실 수가 있습니까? 저는 아버지 밑에서 아버지를 도우며 힘든 일을 하면서 살았습니다. 이런 저를 위해서는 잔치 한 번 열어 주신 적이 없습니다. 그런데 아버지 속을 썩이며 도시로 가서 돈을 다 써 버리고 온 동생에게 어떻게 이런 성대한 잔치를 해 주실 수 있습니까? 아버지는 저에게 친구랑 어울려 놀라고 염소 새끼 한 마리 잡아 주신 적이 없었습니다. 어떻게 이렇게 공평하지 않으십니까?”

투덜거리며 불평하는 큰아들에게 아버지가 이렇게 말했다.

“아들아, 너는 늘 곁에 있었단다. 내가 가진 것이 다 너의 것이 아니었더냐? 그런데 네 동생은 죽었다가 다시 살아온 것이나 마찬가지다. 그러니 이 기쁜 날을 어떻게 그냥 보낼 수가 있겠느냐?"

예수를 따르는 길

어느 날, 한 청년이 예수를 찾았다. 그 청년은 부자였다. 그리고 율법도 잘 지키는 사람이었다.

"선하신 분이시여, 제가 무엇을 하여야 영생을 얻을 수 있습니까?"

"너는 왜 내가 선하다고 생각하느냐? 하나님 한 분 외에는 선한 사람이 없다. 너는 모세를 통해 준 십계명을 모르더냐?"

청년은 자신 있는 표정으로 똑 부러지게 말했다.

"예, 저는 그 모든 계명을 지켰습니다."

예수는 그 청년을 대견해하면서 이렇게 말했다.

"네가 영생을 얻고자 한다면 네가 가진 재산을 다 팔아 가난한 사람들에게 나누어 주어라. 그러면 하늘 나라의 귀한 것들이 네 것이 되리라. 그리고 나를 따르라."

그 청년은 그 말을 듣고 깊은 근심에 빠졌다. 왜냐하면 재산이 많았기 때문이다. 그는 울상을 짓고 예수를 떠났다.

예수가 제자들을 향해 말했다.

"부자는 하나님 나라에 들어가기가 참 힘들단다. 부자가 하나님 나라에 들어가는 것은 낙타가 바늘 구멍으로 빠져 나가는 것보다 더 어려운 일이다."

이 말을 들은 제자들이 깜짝 놀라 여쭈어 보았다.

"그렇다면 부자는 구원을 받을 수 없습니까?"

"사람의 힘으로 할 수 없으나 하나님의 힘이라면 할 수 있다."

그 때 베드로가 의기양양하게 말했다.

"예수님, 저희는 모든 것을 버리고 주님을 따랐습니다."

"누구든지 나를 위해서 집이나 부모, 형제 그리고 토지를 버린 사람은 복을 백 배나 받을 것이다. 거기다 죽어서도 영원한 생명을 얻을 것이다. 하지만 첫째가 꼴찌가 되고 꼴찌가 첫째가 되기 쉬우니 너무 자만하지 말아라."

그리고 나서 예수는 덧붙여 말했다.

"나의 제자가 되려거든 누구든지 자기를 부정해야 한다. 마음속에 자기가 살아 있으면 안 된다. 자기를 버리고 십자가를 지고 나를 따라야 한다. 자기 목숨을 살리려고 하면 오히려 목숨을 잃을 것이다. 그러나 나를 위해 목숨을 버리는 사람은 목숨을 얻을 것이다."

예루살렘 입성

예수가 복음을 전파한 지 3년이 되었다. 예수와 제자들이 예루살렘에 들어가게 되었다. 예루살렘 가까이 와서 올리브 산 근처에 왔을 때 예수는 제자들에게 이렇게 말했다.

"맞은편 마을에 가면 나귀 한 마리가 있을 것이다. 그 새끼도 어미 나귀 옆에 있을 것이다. 그 나귀를 풀어 나에게 가지고 오너라."

"주인이 보면 뭐라고 할 텐데요?"

"그러면 내가 쓰겠다고 말해라. 그러면 나귀를 내어 줄 것이다."

제자들은 예수의 심부름을 이상하게 생각했지만 선생님이기에 대답하고 건너편 마을로 갔다.

제자들이 가서 나귀와 나귀 새끼를 끌고 왔다. 나귀 주인이 그 모습을 보고 말했다.

"그 나귀는 내 것인데 왜 허락도 없이 가지고 가시오?"

제자들은 예수가 일러 준 대로 말했다.

"우리 선생님인 예수가 쓰신 답니다."

그랬더니 주인은 군소리하지 않고 가져가라고 했다.

제자들은 나귀와 나귀 새끼를 끌고 와서 그 위에 겉옷을 얹어 놓았다. 예수는 제자가 가지고 온 나귀에 올라탔다. 예수가 나귀 새끼를 탈 것이라는 것은 구약 성경에 예언되어 있다. 많은 사람들이 예수를 따랐지만 예수는 겸손했다. 우람하고 멋진 말이 아닌 아주 작은 나귀를 탄 것이다.

예수가 나귀를 타고 예루살렘에 입성하자 사람들이 환호성을 질렀다. 소문으로만 듣던 예수를 이제야 만날 수 있었기 때문이다. 그리고 그들은 예수를 로마의 지배에서 벗어나게 해 줄 사람이라고 생각했다. 예수가 그 동안 로마 인들로부터 받은 서러움과 아픔을 다 갚아 주고 새 나라를 만들어 줄 정치인이 되어 줄 것으로 기대한 것이다.

사람들은 자기들의 겉옷을 벗어 예수를 태운 나귀가 지나가는 길 위에 펴 놓았다. 어떤 사람은 종려나무 가지를 꺾어 길에 깔아 놓기도 했다. 그리고 큰 소리로 외쳤다.

"호산나! 다윗의 자손이여! 주의 이름으로 오시는 이여! 찬송하리로다. 주의 이름으로 오시는 이여! 가장 높은 곳에서도 호산나(간구하오니 우리를 구하여 주옵소서의 뜻)합니다."

제자들은 큰 도시였던 예루살렘에 온 것이 무척 기뻤다. 그러나 예수는 제자들처럼 기쁜 마음은 아니었다. 자신의 죽음이 임박했음을 알고 있었기 때문이다. 앞으로 일주일 후에 예수는 자기가 십자가형을 당하게 될 것을 알고 있었다.

성전에서 장사꾼들을 쫓아 냄

　예수는 예루살렘에 가서 제일 먼저 성전을 찾아갔다. 아버지 하나님을 예배하는 곳을 찾은 것이다. 예수는 성전 뜰 안에 들어갔을 때 깜짝 놀랐다. 경건하고 성스러워야 할 성전이 온갖 장사꾼들로 시끌벅적했기 때문이다. 성전 뜰은 염소, 비둘기, 송아지를 파는 상인들로 북적거렸고 동물들의 울음소리로 마치 시장통 같았다. 장사꾼만 있는 것이 아니라 돈을 바꿔 주는 사람도 있었다. 이들은 시골에서 온 농부들에게 농작물이나 가축을 돈으로 바꿔 주었다.

　예수는 화가 났다. 장사꾼들의 의자와 환전상들의 탁자를 둘러엎었다. 사람들이 물건을 나르기 위해 성전 뜰을 가로질러 다니는 것도 못하게 했다. 예수가 이렇게 화를 내는 것을 처음 본 제자들은 놀랐다. 예

수는 장사꾼들에게 큰 소리로 호통을 쳤다.

"성경에 이르기를 성전은 기도하는 집이라고 했소. 성전은 내 아버지 집이오. 어떻게 하나님의 거룩한 집을 강도들의 소굴로 만드는 것입니까?"

"자기 자신이 하나님의 아들이라고 말하다니!"

대제사장들을 비롯한 제사장과 서기관들은 예수를 없애 버리자고 모의했다.

형식적인 사람이 되지 말라

며칠 후 성전 뜰을 걷는 예수에게 제사장들과 서기관들이 다가와서는 이렇게 물었다.

"당신은 무슨 권한으로 성전에서 난동을 피우고 사람들을 가르치는 것입니까?"

예수가 되물었다.

"나도 한 가지 당신들에게 묻겠습니다. 당신들이 대답을 하면 나도 대답을 하지요. 요한이 요단 강에서 세례를 베푼 것을 기억하시겠지요? 요한이 세례를 베푼 것은 하늘로부터 권한을 받은 것입니까? 아니면 사람에게 받은 것입니까?"

이 말을 들은 사람들은 어떻게 대답해야 할지 난감했다. 그리고 뒤돌아서서 저희들끼리 의논을 했다.

"우리가 어떻게 대답하는 것이 좋겠소?"

"하늘에서 권한을 받았다고 하면 어째서 요한을 믿지 않았느냐고 할 것이오."

"사람에게서 받았다고 하면 요한을 예언자로 알고 있는 사람들이 우리를 가만히 두지 않을 것이오."

"이거 정말 어떻게 말을 해야 할지 모르겠군."

"……."

오랫동안 의논을 하더니 그들을 대표해서 한 사람이 예수에게 더듬거리며 말했다.

"잘 모르겠소."

"그렇다면 나도 무슨 권한으로 이런 일을 하는지 당신들에게 말하지 않겠습니다."

이 모습을 본 사람들은 속이 다 시원해졌다. 잘난 척하며 거드름을 피우며 하나님의 말씀을 전한다고 으스대는 사람들의 코가 납작해진 것을 보니 참으로 고소했다. 무엇이든 아는 척하며 뻐기던 사람들의 입에서 나온 말이 잘 모르겠다라니.

사람들은 사두개 인과 바리새 인을 좋아하지 않았다. 자기들만 거룩하고 하나님의 말씀대로 산다고 생각하는 교만이 싫었다. 예수도 그들의 위선을 책망했다. 예수는 이렇게 말했다.

"바리새 인과 사두개 인은 모세가 우리에게 준 율법을 가르치고 잘 지키고 있습니다. 그러니 그들이 말하는 것은 모두 지키십시오. 하지만 그들의 행실은 따르지 마십시오. 그들은 말만 번지르르하게 하고 실천은 하지 않는 사람들입니다. 그들은 무거운 짐을 다른 사람의 어깨에 메워 주고 자기들은 손 하나 까딱하지 않는 사람들입니다. 그들의 선행은 남들에게 자랑하려는 마음에서 나옵니다. 그리고 잔칫집에 가면 제일 좋은 자리에 앉아서 대접을 받으려고 합니다. 길을 가다가 사람들을 만나면 먼저 인사하기보다 인사를 받으려고 합니다. 사람들이 자기들을 선생님이라고 불러 주기를 원합니다."

많은 사람들 앞에서 공개적으로 망신당한 바리새 인과 사두개 인은 참을 수가 없었다. 그래서 그들은 '어떻게 하면 예수를 없앨 수 있을까?'를 모의했다.

재난에 대비하라

예수가 성전에서 나와 얼마쯤 걷다가 제자들에게 성전을 가리키며 말했다.

"저 성전을 잘 보아라. 성전이 곧 무너지리라."

"그런 일이 언제 일어납니까?"

"그런 일이 있기 전에 어떤 징조들이 있습니까?"

제자들은 곧 세상이 없어질 것이라는 예수의 말에 놀라서 이것저것 앞다투어 묻기 시작했다. 예수는 조용하고도 침착한 목소리로 말했다.

"장차 많은 사람들이 나타나서 내가 바로 예수의 후계자라고 말할 것이다. 내가 인류를 구원할 그리스도라고 말할 것이다. 그럴 때 너희는 속지 말아라. 또 계속해서 전쟁에 대한 소문이 있을 것이다. 난리가 여러 곳에서 일어날 것이다. 그 때 사람들은 나를 믿는 사람들을 법정에 넘겨 온갖 고문을 할 것이다. 너희는 나를 믿기 때문에 세상 사람들의 미움을 받을 것이다."

제자들은 예수가 전해 주는 멸망의 모습을 마음속으로 생각하니 소름이 오싹 끼쳤다.

'제발 내가 살아 있는 동안에는 그런 일이 없었으면……'

사람들이 저마다 마음속으로 생각했다.

예수는 계속해서 말했다.

"사람들의 마음은 차가워질 것이다. 그들의 마음속에 사랑은 식어 버려서 서로를 배반하고 미워할 것이다."

"예수님, 그런 날이 언제입니까? 그 날을 우리가 대비할 수 있도록 가르쳐 주십시오."

"그 날과 시간은 아무도 모른다. 하늘의 천사도 모르고 하나님의 아들인 나도 모르고 오직 한 분 하나님만이 아신다. 그러니 너희는 늘 깨어 있으라. 도둑이 몇 시에 올지 집주인이 알고 있었다면 도둑을 맞지 않았으리라. 마찬가지로 그 때도 알 수 없다. 그러니 너희는 늘 준비하고 있으라."

"……"

"이제 이틀만 있으면 유월절이다. 그 때 하나님의 아들은 잡혀가 십자가형을 받을 것이다."

예수의 제자들은 이 말을 이해하지 못했다. 사람들에게 예수는 여전히 인기가 높고 바리새 인과 사두개 인들도 예수에게 꼼짝 못하는데 어떻게 예수가 잡혀가 죽는단 말인가?

그 무렵 제사장들과 바리새 인과 사두개 인들은 예수를 죽일 흉계를 꾸미고 있었다.

배반자 유다

예수의 제자 중 가룻에 사는 유다가 있었다. 그는 사탄의 꾐에 빠졌다. 그는 제사장들과 성전 수위대장을 찾아가 예수를 잡아 넘겨줄 방도를 상의했다.

"내가 당신들에게 예수를 넘겨주면 나에게 얼마를 주겠소?"

"은전 스무 닢이 어떻소?"

"너무 적소."

"그렇다면 서른 닢은 어떻소?"

"좋소."

그 때부터 가룻 유다는 예수를 넘겨줄 기회만 엿보고 있었다.

최후의 만찬

유월절에는 양을 잡는 풍습이 있었다. 사람들은 유대의 가장 큰 명절인 유월절을 준비하기 위해 분주했다. 제자들도 그 날을 어떻게 보내야 할지 예수에게 상의를 했다.

"예수님, 오늘이 유월절 첫 날인데 어디서 행사를 하면 좋겠습니까?"

"성 안으로 들어가라. 그러면 물동이에 물을 길어 가는 사람을 만날 것이다. 그를 만나면 그 사람을 따라 그 집으로 가라. 그리고 그 주인을 찾아가 '우리 선생님이 제자들과 함께 여기서 유월절 음식을 나누고 싶어합니다. 방을 내어 줄 수 있습니까?' 라고 물어 보아라. 그러면 그 주인이 가르쳐 줄 것이다."

예수의 말대로 성 안으로 들어갔더니 한 사람이 물동이에 물을 길어가고 있었다. 그리고 예수의 말대로 그 집 주인을 만나 이야기했더니 방 하나를 내주었다.

날이 저물었을 때 예수와 열두 제자는 그 방에서 유월절 행사를 치렀다. 유월절 음식은 그리 대단하지 않다. 누룩을 넣지 않은 마른 떡과 포도주가 전부였다. 이렇게 남루한 음식을 먹는 것은 오래 전 이스라엘인의 조상이 애급에서 종살이를 하다가 해방된 것을 기념한 것으로 조상들이 고생한 것을 기억하기 위해서였다.

음식을 나눌 때 예수가 말했다.

"오늘 밤 너희 중의 한 명이 나를 배반할 것이다."

이 말에 제자들이 근심하며 물었다.

"저는 아니지요?"

"그 사람은 차라리 이 세상에 나지 않았으면 좋았을 것이다."

그리고 떡을 들어 축복하고 제자들에게 떼어 주며 말했다.

"이것은 내 몸이다. 받아 먹어라."

그리고 포도주를 들어 감사 기도를 하고 다시 제자들에게 권했다.

"이것은 나의 피다. 많은 사람들을 위해 내가 흘리는 피다."

지금도 기독교인들은 만찬식에 빵을 먹고 포도주를 마시는데, 이것은 예수를 기념하기 위해서다.

예수가 이어서 말했다.

"너희는 모두 나를 버릴 것이다. 그러나 나는 살아서 너희보다 먼저 갈릴리로 가 있을 것이다."

그러자 제자 중에 베드로가 나서서 말했다.

"예수님, 모든 사람이 주님을 버리고 도망갈지라도 저는 예수님을 배반하지 않겠습니다. 맹세합니다."

"베드로야, 내 말을 잘 들어라. 오늘 밤 닭이 두 번 울기 전에 너는 나를 세 번 부인할 것이다."

"그렇지 않습니다. 저는 죽는 한이 있더라도 예수님을 배반하지 않을 것입니다. 예수님을 사랑할 것입니다."

베드로는 힘주어 단호하게 말했다. 듣고 있던 다른 제자들도 말했다.

"절대로 주님을 배반하지 않겠습니다."

그러나 예수는 아무 말 없이 쓸쓸히 웃을 뿐이었다.

겟세마네 동산에서의 기도

유월절 행사를 마치고 예수와 제자들은 기드론 계곡을 지나 겟세마네 동산 근처에 왔다. 예수는 제자 중 베드로와 야고보, 요한을 데리고 동산에 올라갔다. 예수는 제자들과 조금 떨어져 기도했다.

'오늘 밤, 내가 넘겨지는구나……'

예수는 자기 앞에 놓인 죽음이 두렵고 떨렸다. 할 수만 있다면 죽음을 피해 가고 싶었다. 예수는 하나님께 기도했다.

"하나님, 하실 수만 있다면 이 고난을 제게서 거두어 주십시오. 죽음이 두렵습니다. 하지만 하나님의 뜻이라면, 제가 죽는 것이 사람들을 살리는 일이라면 겁내지 않고 죽음을 담대하게 받아들이겠습니다. 아버지의 뜻에 따르겠습니다. 저의 원대로 하지 마옵시고 아버지의 뜻대로 하십시오."

예수가 얼마나 간절히 기도했는지 땀방울이 핏방울이 되어 예수가 무릎 꿇고 있는 바닥을 적셨다. 기도를 하고 제자들에게 와 보니 제자들은 예수의 마음도 모르고 쿨쿨 잠들어 있었다. 예수는 자고 있는 제자들을 흔들어 깨웠다.

"너희들은 잠시 동안도 깨어 있을 수 없더냐? 그래……. 내가 너희들의 마음을 안다. 마음은 하고 싶지만 육신이 약하구나. 마음은 간절하지만 몸이 말을 듣지 않는구나!"

그리고 다시 올라가서 기도했다. 그런데 기도하고 와 보니 이번에도 제자들은 여전히 자고 있었다.

"그만 자라. 이제 때가 왔다. 이제 난 사람들의 손에 넘겨지는구나!"

제자들은 부끄러웠다. 어떻게 예수의 얼굴을 보아야 할지 몰랐다.

끌려간 예수

예수의 이 말이 채 끝나기도 전에 열두 제자 중의 하나인 가룟 유다가 나타났다.

유다는 유월절 잔치를 할 때 몰래 빠져나갔다가 그제서야 나타난 것이다. 유다 뒤에는 제사장들과 서기관들, 군인들이 서 있었다. 그들은 칼과 몽둥이를 들고 떼지어 왔다.

유다와 그들은 서로 약속을 하고 왔다. 한밤중이라 예수의 얼굴을 제대로 분간할 수 없었기 때문에 유다는 그들에게 이렇게 일러 주었다.

"내가 입 맞추는 사람이 바로 예수입니다. 그러니 그 사람을 붙잡아서 놓치지 말고 끌고 가십시오."

유다는 예수에게 와서 '선생님'하며 입맞추었다. 그것은 세상의 모든 입맞춤 중에서 가장 더럽고 추악한 입맞춤이었다. 그리고 곧장 한 무리가 달려와 예수를 붙잡았다. 베드로는 너무 화가 난 나머지 옆에 차고 있던 칼을 뽑아 대제사장의 하인인 '말고'라는 사람의 귀를 베었다.

"앗, 내 귀!"

순식간에 말고의 귀는 땅바닥에 떨어졌다. 예수는 떨어진 말고의 귀를 주어서 원래 자리에 붙여 주며 베드로를 나무랐다.

"칼을 도로 집어 넣어라. 칼을 쓰는 사람은 칼로 망하는 법이다. 내가 하나님께 부탁하면 지금이라도 나를 구해 줄 군사를 보내 주신다. 그러나 내가 하나님께 부탁하지 않음은 아버지의 뜻을 이루기 위해서다. 하나님의 역사를 이루기 위해서다."

그리고 대제사장과 군인들에게 말했다.

"몽둥이와 칼로 나를 잡으러 왔느냐? 내가 강도란 말이냐? 아아! 이제는 암흑이 세상을 다스리는구나. 성경이 말한 그 때가 이제 왔구나!"

예수가 이 말을 하자마자 제자들은 대제사장과 함께 있는 군인들이 자기들을 해칠지도 모른다는 생각에 예수를 버리고 도망을 갔다.

예수는 도망가는 제자들의 뒷모습을 물끄러미 바라보았다.

'믿음이 약한 어리석고 가엾는 자들이여!'

예수를 부인한 베드로

예수는 곧 군인들의 손에 붙잡혀 대제사장 관저로 끌려갔다. 베드로가 살금살금 예수의 뒤를 좇았다. 혹시 군인들에게 들킬까 봐 멀리 떨어져 따라갔다. 그리고 날이 추워 숯불을 피워 놓고 불을 쬐고 있는 경비원들 틈에 앉았다. 그 때 그 곳을 지나던 여자 하인 하나가 베드로를 보고 물었다.

"당신은 오늘 붙잡혀 온 예수의 제자가 아닙니까?"

베드로는 단호하게 말했다.

"아니오! 나는 그 사람이 누구인지 알지 못하오."

경비병들이 베드로를 한번 쳐다보았다. 베드로는 가슴이 철렁 내려앉았다.

'내가 제자인 것을 알면 나를 가만두지 않을 거야. 그렇다고 지금 일어나면 나를 의심할지도 모르지. 조금만 더 앉아 있다가 적당한 때에 나가야지……'

또 한 사람이 와서 말했다.

"당신은 예수라는 사람의 제자가 아니오? 당신이 예수와 함께 성전 뜰 안에 있던 것을 내가 보았소!"

베드로는 조금 전보다 더 크고 당당한 목소리로 말했다.

"아니라고 하지 않았소! 내가 거짓말을 한다면 천벌을 받겠소."

하지만 또 한 사람이 베드로를 공격했다.

"나도 당신이 예수와 함께 있는 것을 보았소!"

베드로는 당황하면서도 애써 태연한 척 말했다.

"나는 도무지 예수를 알지 못하는데 도대체 왜들 그러시오!"

그 때 닭이 두 번 울었다. 닭 울음소리에 베드로는 예수가 '닭이 울기 전에 너는 나를 모른다고 세 번 부인할 것이다.' 라는 말을 기억해 냈다. 예수의 말이 떠오르자 베드로는 밖으로 뛰쳐나가 땅에 쓰러져 슬프게 울었다.

"예수님, 죄송합니다. 제가 예수님을 배반했습니다. 흑흑흑!"

한편 가룟 유다는 예수가 군인들에게 붙들려 가고 나서 자기가 한 일이 얼마나 무서운 일인지를 깨달았다. 그리고 급히 대제사장에게 달려가 자기가 받은 은전 서른 닢을 돌려주었다.

"돈을 다시 돌려드릴 테니 우리 선생님을 풀어 주십시오."

"그럴 수 없다."

"제가 죄 없는 사람을 팔았습니다. 제가 선생님께 죄를 범했습니다."

"그것이 우리와 무슨 상관이냐?"

아무리 간청해도 그들의 마음은 돌아서지 않았다. 유다는 깊이 실망하며 은전 서른 닢을 성전에 던져 놓고 나왔다. 그리고 깊은 죄책감에 목을 매어 자살했다.

대제사장 앞에 선 예수

군인들이 예수를 끌고 대제사장 관저에 갔을 땐 이미 다른 제사장들과 원로들, 서기관들이 모여 있었다. 군인들은 예수의 얼굴을 가린 채 조롱하며 때렸다.

"네가 예언자냐? 그렇다면 우리 중에 너를 때린 사람이 누구인지 맞혀 보아라."

군인들은 갖은 욕설을 하며 예수를 괴롭혔다. 그러나 예수는 잠자코 군인들의 괴롭힘을 받고만 있었다.

"그만두어라."

대제사장의 말에 그제서야 군인들은 놀리는 것을 그쳤다.

제사장들과 원로들, 서기관들은 예수를 사형에 처할 만한 법을 찾았다. 그러나 그 증거가 될 만한 것은 하나도 얻지 못했다. 많은 사람들이 와서 증언을 했지만 그 증언들이 일치하지 않았다. 그러자 몇 사람이 일어나 이렇게 거짓 증언을 했다.

"나는 이 사람이 성전을 헐어 버리고 사흘 만에 짓겠다고 하는 것을 들은 적이 있습니다.”

제사장 중의 한 사람이 예수에게 와서 물었다.

“이렇게 사람들이 당신에게 불리한 증언을 하는데 할 말이 없느냐?”

그러나 예수는 아무 말도 하지 않았다.

제사장은 예수가 아무 말도 하지 않자 화난 목소리로 물었다.

“내가 살아 계신 하나님의 이름으로 묻는다. 네가 과연 하나님의 아들이냐?”

그 때서야 예수가 입을 열었다.

“그렇다. 나는 하나님의 아들이다. 너희 중에는 분명히 내가 전능하신 하나님 오른쪽에 앉아 있는 것과 또 하늘의 구름을 타고 다시 오는 것을 볼 것이다.”

그 말에 제사장은 분을 이기지 못하고 자기 옷을 찢으며 말했다.

“네가 하나님의 아들이라고? 우리가 알아본 바로 너는 나사렛 시골에서 목수 일을 하는 요셉의 아들이다. 그런데 전능하신 하나님의 아들이라고! 괘씸한 놈! 하나님을 모독하는 놈!”

“이제 더 이상의 증언은 필요 없습니다. 이것보다 확실한 증언은 없습니다. 자기 입으로 하나님을 모욕하지 않았습니까?”

“여러분은 이 자를 어떻게 했으면 좋겠습니까?”

사람들은 일제히 외쳤다.

“사형을 시키시오!”

빌라도의 심문

날이 밝자 사람들은 예수를 빌라도에게 끌고 갔다.

“무슨 일이냐?”

"이자가 자기가 하나님의 아들이라고 하면서 사람들을 현혹시키고 있습니다. 또 사람들을 선동해서 세금을 바치지 못하게 하고 있습니다."

"그게 뭐 어떻단 말이냐? 난 로마 인이다. 로마 인의 법으로 그는 아무 죄도 없다. 너희 유대의 법으로 알아서 다스려라."

"아닙니다. 하나님의 아들이라고 말하는 것은 로마를 위협하는 일입니다. 사람들은 이자가 로마를 무너뜨리고 새 나라를 세워 자기들을 구원해 줄 것이라고 믿고 있습니다."

"……."

빌라도는 오랫동안 아무 말도 하지 않다가 입을 열었다.

"알았다. 이자를 여기에 두고 가 보아라."

사람들이 돌아가고 혼자 남은 예수에게 빌라도가 물었다.

"네가 하나님의 아들이냐? 사람들은 여러 가지 죄목으로 너를 고발하는데 너는 할 말이 하나도 없느냐?"

그러나 예수는 아무 말도 하지 않았다.

유월절에는 큰 행사가 있었다. 군중이 요구하는 죄인을 놓아주는 관례가 있었다. 마침 그 때에 바라바라는 이름난 괴수가 있었다. 빌라도는 많은 사람들 앞에서 물었다.

"어떤 죄인을 풀어 주는 것이 좋겠느냐? 바라바냐? 예수냐?"

그 때 한 군인이 달려와 빌라도에게 귓속말로 무슨 말을 전했다.

군인은 빌라도의 아내가 급히 보낸 사람이었다. 군인은 급한 숨을 몰아쉬며 이렇게 말했다.

"마님께서 어제 꿈을 꾸셨는데 예수라는 사람의 일로 잠자리가 무척 사나웠다고 합니다. 혹시 모르니 예수라는 무죄한 사람의 일에 관여하지 말라고 하십니다."

빌라도는 잠시 생각하더니 사람들에게 이렇게 말했다.

"나는 이 예수라는 사람에게서 아무런 죄도 발견하지 못했다. 이 사람은 사형에 처할 죄를 짓지 않았다. 그래서 나는 이 사람을 매질이나 해서 놓아 주려고 한다."

그 말을 듣자 사람들은 성난 목소리로 일제히 외쳤다.

"예수를 죽이시오. 예수를 사형에 처하시오. 십자가에 못 박으시오."

"바라바를 풀어 주시오."

빌라도는 사람들의 함성과 소동이 두려웠지만, 아내의 말이 떠올라 다시 물었다.

"도대체 이 사람을 죽일 만한 죄가 무엇인가?"

사람들은 이 말에 더욱 악을 쓰며 외쳤다.

"십자가에 못 박으시오!"

빌라도는 사람들을 더 이상 설득할 수 없었다. 예수를 도와주려고 했다가는 오히려 폭동이 일어날 것 같았다. 하는 수 없이 빌라도는 명령을 내렸다.

"예수를 십자가에 못 박으라!"

그러고 나서 사람들 앞에서 손을 씻으며 말했다.

"나는 이 사람의 죽음에 대한 책임이 없다. 그를 죽인 것에 대한 책임은 너희 이스라엘 인들이 받아야 한다."

"좋습니다. 우리가 받겠습니다. 예수가 억울하게 죽었다면 그 화는 우리가 받겠습니다."

십자가에 매달린 예수

십자가 처형은 너무나 잔인한 형벌이었다. 중죄를 지은 사람에게만

행했던 로마의 처형 방법이었다. 십자가에 매달린 사람은 3, 4일 동안 못박힌 채로 살아 있는 경우도 있었다. 그러면 날아가는 새가 와서 그 몸을 파 먹기도 했다.

예수는 성 밖으로 끌려갔다.

"네가 왕이라고? 그렇다면 왕관을 써야겠구나!"

"반짝반짝 빛나는 황금 왕관이 없으니 이것이라도 쓰는 게 어때?"

군인들은 예수에게 가시나무로 엮은 관을 머리에 씌웠다. 예수의 이마는 날카로운 가시에 찔려 피가 흘렀다. 군인들은 그것도 모자라 예수를 채찍으로 때리며 조롱했다.

"어이, 이스라엘 인의 왕! 우리에게 명령을 내려 보시지?"

예수의 얼굴에 침을 뱉고 갈대로 예수의 머리를 때렸다. 그리고는 예루살렘 성 밖에 있는 골고다(해골이란 뜻) 언덕까지 십자가를 지고 올라가게 했다. 예수는 힙겹게 힘겹게 무거운 십자가를 등에 지고 골고다 언덕으로 올라갔다.

"탕! 탕! 탕!"

"으윽!"

군인들은 예수의 손에 못을 박고 십자가를 세웠다.

못 박힌 손바닥에서 붉은 피가 흘렀다. 예수는 고통에 신음하였다. 십자가 꼭대기에는 죄를 지은 사람의 죄목을 적어 놓는데 예수의 십자가에는 이런 죄목의 명패가 붙어 있었다.

'이스라엘 인의 왕 예수'

그 때 강도 두 사람도 예수와 함께 십자가형을 받았다. 예수는 가운데 십자가였다. 십자가 밑을 지나가는 사람들은 예수를 올려다보며 빈정거렸다.

"성전을 헐고 사흘 만에 짓는다고 헛소리하는 자야! 네가 정말 하나님의 아들이거든 네 목숨이나 구해 보아라!"

"네가 하나님의 아들이라면 지금 당장 십자가에서 내려와 우리를 때려 보시지!"

제사장들과 서기관들도 예수를 조롱하며 말했다.

"남은 살리면서 자기는 살리지 못하는 자야! 이러고도 네가 하나님의 아들이냐? 네가 이스라엘의 왕이라면 십자가에서 내려와 보시지!"

"그럼 우리가 너를 하나님의 아들로 극진히 받들어 모시겠다."

예수 옆의 십자가에 있는 강도 한 명도 예수를 비웃었다.

"당신이 메시아라면 당신도 살려 보시고 우리도 한번 살려 보구려!"

그러자 그 옆에 있던 다른 죄수 한 명이 예수에게 빈정거린 죄수를 꾸짖으며 말했다.

"우리가 지은 죄는 마땅히 십자가형이지만, 이 분은 그렇지 않아. 이 분에게 무슨 죄가 있단 말이냐?"

그리고는 예수에게 간청하며 말했다.

"예수님, 저를 잊지 말아 주세요. 예수님이 가시는 낙원에 저도 가게 해 주세요."

예수는 힘겨운 목소리로 그러나 부드럽게 말했다.

"너는 진실로 나와 함께 낙원에 갈 것이다."

십자가 밑에 있는 사람이 고통스러워하는 예수를 위해 쓸개를 탄 포도주를 긴 갈대에 엮어 마시게 했다. 쓸개를 탄 포도주는 고통을 없애 주기 때문이다. 그러나 예수는 그 포도주를 거절했다.

숨을 거둔 예수

낮 12시쯤, 갑자기 하늘이 캄캄해졌다. 그 어둠이 오후 세 시까지 온

땅을 덮었다. 태양마저 빛을 잃었다.

예수는 큰 소리로 부르짖었다.

"엘리 엘리 라마 사막다니!"

이 말은 '저의 하나님, 저의 하나님, 어찌하여 저를 버리시나이까!' 라는 뜻이다.

"아, 목마르다."

"다 이루었다."

"내 영혼을 아버지의 손에 부탁하나이다."

그리고 예수는 숨을 거두었다.

그 때 성전 휘장이 위에서 아래까지 두 폭으로 찢어졌다. 그리고 땅이 흔들리면서 바위가 갈라지고 무덤이 열렸다. 백부장을 비롯해 예수를 지키고 있던 많은 사람들이 이런 일들이 일어나는 것을 보고 두려움에 떨며 말했다.

"이 사람은 정말 하나님의 아들이구나."

"그렇지 않다면 이런 일이 일어날 수가 없지!"

무덤에 묻힌 예수

날이 저물자 아리마대 사람 요셉이 예수의 시체를 내려다가 고운 베로 시신을 싸고 바위를 파서 만든 무덤에 예수를 모셨다. 다음 날 바리새 인들이 빌라도를 찾아갔다.

"예수가 살아 있을 때에 자기가 죽은 뒤 사흘 만에 살아난다는 허무맹랑한 이야기를 하고 다녔습니다."

"혹시 예수의 제자들이 와서 시체를 훔치고 예수가 살아났다고 거짓말을 하고 다닐지 모릅니다."

"그러니 군인들을 시켜 무덤을 단단히 지키게 해 주십시오."

"그렇지 않으면 예수가 살아 있을 때보다 더 혼란스러운 일이 일어날지 모릅니다."

빌라도는 군인들에게 예수의 무덤을 지키도록 명령하였다.

안식일이 지난 다음 날 새벽, 예수를 따르던 여자들이 예수의 시체에 향료를 발라 주려고 무덤을 찾았다. 그런데 갑자기 '우지직 쾅' 하며 큰 지진이 일어났다. 그러더니 하늘에서 천사가 내려와 예수의 무덤을 막은 돌덩이를 걷어 내고 그 돌 위에 앉았다. 천사들의 모습은 번개처럼 빛이 났고 천사들이 입은 옷은 눈처럼 희었다. 이 모습을 본 군인들은 겁에 질려 그만 기절하고 말았다. 여자들도 무서워서 벌벌 떨었다.

"너희는 여기에 무엇을 하러 왔느냐? 십자가에 달린 예수를 찾으러 왔느냐? 예수는 여기 없다. 전에 너희에게 말하지 않았더냐? 죽은 지 사흘 만에 다시 살아나서 너희보다 먼저 갈릴리로 가 있겠다고."

여자들은 문이 열린 무덤으로 달려가 보았다. 천사들의 말처럼 거기에 예수의 시신은 없었다. 그 때 예수가 여자들에게 나타나서 말했다.

"너희는 가서 제자들에게 내가 갈릴리로 간다고 전해 주어라. 거기서 만나자고 전해 주어라."

여자들은 기쁜 마음으로 이 소식을 전하려고 제자들에게 달려갔다.

여자들이 떠난 뒤 기절했다가 깨어난 군인들이 성 안으로 달려가 이 사실을 대제사장에게 전했다. 대제사장은 원로들을 만나 의논하고 굉장히 많은 돈을 그 군인에게 주었다.

"어디를 가든지 이 일을 말하지 말아라. 그리고 시체는 너희가 잠들었을 때 예수의 제자들이 와서 가지고 갔다고 말하여라. 혹시 빌라도가 이 사실을 안다 해도 우리가 잘 말해서 너희에게 피해가 가지 않도록 하겠다."

한편 '예수가 살아나서 갈릴리에서 제자들을 기다린다.'는 말을 전한 여자들의 말을 예수의 제자들은 믿지 않았다. 그러나 베드로는 그 말을 듣고 무덤가로 달려갔다. 여자들이 말한 대로 예수의 시신이 없었다. 오직 예수의 시신을 쌌던 세마포만 있었다. 베드로는 빈 무덤을 신기하게 여기며 집으로 돌아갔다.

제자들에게 나타난 예수

어느 날 제자들이 갈릴리에 모여 함께 저녁을 먹었다. 그들은 살아 있을 때의 예수를 떠올리고 있었다. 그 때 그들 앞에 예수가 나타났다.
"너희 가운데 평화가 있으리라!"
제자들은 깜짝 놀랐다. 유령인 줄 알았다.
"왜 그렇게 놀라느냐? 무얼 그렇게 의심하느냐? 내 손과 발을 보아라. 그리고 나를 만져 보아라. 귀신이라면 살과 뼈가 없지만 나는 이렇게 살과 뼈가·있지 않느냐?"
제자들은 기뻐하면서도 믿어지지 않았다. 어리둥절해서 어떻게 할 바를 몰랐다. 예수는 그런 제자들을 보며 말했다.
"먹을 게 좀 없느냐? 내가 무척 시장하구나."
제자들은 구운 생선 한 토막을 예수에게 주었다. 예수는 그것을 모두 먹었다. 그리고 말하였다.
"너희는 내 부활의 증인이다. 너희는 성령을 받아라. 그래서 누가 죄를 짓거든 그의 죄를 용서해 주어라. 너희가 그들이 죄를 용서해 주면 그들의 죄가 사해질 것이고 용서해 주지 않으면 죄는 그대로 남아 있을 것이다."

그리고 예수는 떠났다.

예수와 제자들이 함께 있을 때 도마는 없었다. 도마가 집에 왔을 때 제자들은 예수가 살아서 자기들에게 왔다는 사실을 도마에게 말했다.

"선생님이 살아나서 우리 곁에 오셨어. 우리와 함께 식사도 하셨어. 그리고 말씀도 해 주셨어."

하지만 도마는 그 말을 믿지 않았다.

"내 눈으로 예수님을 보기 전에는 너희들의 말을 믿지 않겠어. 너희들 지금 나를 놀리는 거지? 아니면 유령을 본 게 틀림없어!"

8일이 지나 제자들이 다시 집에 모여 있을 때 예수가 왔다.

"너희 가운데 평강이 있기를……."

도마의 눈이 휘둥그레졌다.

"아니, 이럴 수가……. 과연 친구들 말이 맞구나! 아니야, 아니야. 그럴 리가 없어. 내가 그의 옆구리와 손을 만져 보아야 믿겠어. 옆구리의 창자국과 손의 못자국을 만져 보아야 믿겠어."

"도마야, 네가 나를 의심하는구나. 자! 네 손을 내 옆구리에 넣어 보아라. 그리고 내 손을 만져 보아라."

도마는 예수의 손과 옆구리를 만져 보고 나서야 그 앞에 엎드렸다.

"예수님! 정말 예수님이로군요."

예수는 제자들에게 이렇게 말했다.

"도마는 나를 직접 보고서야 믿는구나. 나를 보지 않고 믿는 사람은 더 행복하다. 그리고 그들은 복된 사람이 될 것이다."

예수는 부활하고 40일 동안을 제자들과 함께 있었다. 때가 되어 하늘에 올라가기 전 제자들을 축복하며 이렇게 당부했다. 이 말은 지금까지 기독교인들이 가슴에 새기고 그 말을 지키고 있다.

"나는 하늘과 땅의 모든 권세를 갖고 있다. 내 권세를 너희에게 주노니 너희는 가서 모든 나라 사람을 내 제자로 삼아라. 그리고 그들에게 아버지와 아들과 성령의 이름으로 세례를 주어라. 또한 내가 너희에게 가르친 모든 것을 지키도록 가르쳐라. 나는 세상이 끝나는 날까지 너희와 항상 함께하리라."

예수는 이 말을 마치고 하늘로 올라가 하나님 오른편으로 가셨다. 땅 위에 남은 제자들은 예수의 마지막 말씀을 지켜 사방으로 나가 복음을 전했다. 약속대로 예수는 그들과 함께했기에 제자들은 많은 기적을 일으켰다. 그리고 교회를 세우고 세상 많은 사람들을 예수께로 인도했다.

예수를 전파했기에 어려움도 많이 당했다. 매를 맞기도 했고 옥에 갇히기도 했다. 그리고 무서운 십자가형을 받기도 했고 굶주린 사자의 먹이가 되기도 했다. 하지만 두려워하지 않고 예수를 전했다. 그렇게 해서 이 땅의 많은 사람들이 예수를 알게 된 것이다.

예수는 이 땅에서 사람들에게 많은 기적을 보여 주고 좋은 가르침을 주었다. 그 모든 것을 담으려면 이 세상 모든 책을 가득 채우고도 남을 것이다.

작품 알아보기
(장편문학)

〈**성경 이야기**〉는 기독교의 역사와 가르침을 담은 책으로, 기독교의 경전이다. 주요 내용은 예수 그리스도가 태어나기 전의 이스라엘 민족의 신앙의 역사를 중심으로 기록한 구약과, 예수 그리스도의 생애와 그 가르침을 중심으로 기록한 신약으로 나누어진다.

하느님이 7일 만에 세상을 창조하여 아름다운 에덴 동산을 만든 다음, 최초의 인간 아담과 이브를 그 곳에 살게 하였는데 그들은 하느님의 계명을 어기고 선악과를 따먹었다.

그 죄로 아담과 이브는 에덴 동산에서 쫓겨나고 인간의 고통은 시작된다.

세월이 흐르면서 수많은 자손들이 생겼지만, 그 중에서도 '선택받은 민족 이스라엘'을 중심으로 구약의 역사가 펼쳐진다.

성경의 마지막에 실린 요한 계시록에는 인류가 스스로의 죄로 말미암아 심판을 받은 후, 구원을 받은 사람은 영원한 생명을 얻어 천국에서 살게 된다는 '계시'의 내용이 실려 있다.

전체적으로는 이스라엘 민족의 생활에 뿌리를 두고 예수가 태어나 인류의 구원을 위해 십자가에 못 박혀 죽은 다음 다시 부활하는 내용이다.

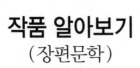

작품 알아보기
(장편문학)

성경은 문학 작품이 아닌 기독교의 경전이지만, 거기에는 수많은 인간의 생활 모습이 각양각색으로 담겨 있어 문학 작품을 읽었을 때의 재미도 느낄 수 있다. 또한 기독교의 정신은 서양의 역사와 문화 전반에 지대한 영향을 끼쳤기 때문에 기독교를 믿고 있는 사람들뿐만 아니라 모든 사람들에게 유익한 최대의 고전이라 할 수 있을 것이다.

논술 길잡이
(장편문학)

❶ 성서를 바탕으로 이야기로 꾸민 〈성경 이야기〉는 구약과 신약으로 나누어진다. 그 기준은 무엇이며, 나누어지는 시기는 언제인지 써 보자.

----

❷ 〈성경 이야기〉에는 산과 강, 바다와 섬, 하늘을 나는 새와 물속을 헤엄치는 물고기 그리고 향기로운 꽃 등 만물을 모두 하나님이 만들었다고 기록하고 있다. 하나님이 창조한 것들과, 창조한 각각의 날들에 대해 정리해 보자.

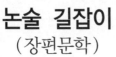

논술 길잡이
(장편문학)

❸ 아래 그림은 아담과 이브가 축복의 땅 에덴 동산에서 쫓겨
나게 된 이유가 그려진 장면이다. 그 이유는 무엇이고, 누구
때문에 그렇게 되었는지, 이후에 두 사람은 어떻게 되었는
지를 글로 정리해 보자.

....

....

....

논술 길잡이
(장편문학)

❹ 세상 사람들의 구세주로 나타난 예수는 그 제자의 배반으로 죽임을 당하고 만다. 아래 문장은 배반의 대목으로, 누가, 왜 그랬는지, 결과는 어땠는지를 글로 적어 보자.

"내가 입 맞추는 사람이 바로 예수입니다. 그러니 그 사람을 붙잡아서 놓치지 말고 끌고 가십시오."
유다는 예수에게 와서 '선생님' 하며 입맞추었다.

....
....
....
....
....
....

논술 길잡이
(장편문학)

❺ 세상 사람들의 죄악이 심해지자 하나님은 그들을 멸망시키기로 하면서, 신앙 깊고 정직한 노아에게 무엇을 명령했는지, 그 내용을 써 보자.

....

....

....

....

❻ 예수가 가장 중요하게 생각했던 것으로, 오늘날 교회의 가장 기본적인 덕목은 무엇이며, 그 덕목이 지니는 가치에 대해 생각해 보고 글로 써 보자.

....

....

....

....

논·술·세·계·대·표·문·학 〈전60권〉

펴 낸 이	정재상
펴 낸 곳	훈민출판사
주 소	경기도 고양시 덕양구 원당동 416번지
대 표 전 화	(031)962-3888
팩 스	(031)962-9998
출 판 등 록	제395-2003-000042호